LE CORÉEN DÉBUTANT - PROGRAMME D'AUTO-APPRENTISSAGE COMPLET

AVEC DES ILLUSTRATIONS INTUITIVES

LA PRONONCIATION | LA CALLIGRAPHIE | L'ALPHABET CORÉEN
LA GRAMMAIRE | L'ORTOGRAPHE | LE VOCABULAIRE | QUIZ D'ENTRAÎNEMENT

9791188195749

FANDOM MEDIA

Traduit du anglais en français par
Yoo Rim JUNG

master@newampersand.com

Une remise peut être accordée sur les achats en gros à des fins éducatives, commerciales, promotionnelles ainsi que l'achat pour les établissements d'enseignement, les associations à but non lucratif, les entreprises, les sociétés, etc., contactez l'éditeur à l'adresse suivante pour demander plus d'informations :

marketing@newampersand.com

TABLE DES MATIÈRES

Téléchargez ici le fichier mp3 !

newampersand.com/audio

Apprenez chaque voyelle et consonne avec nos **pistes audio gratuites téléchargeables** enregistrées par une personne de langue maternelle coréenne. Écoutez et apprenez !

LES CONSONNES ET LES VOYELLES

Commençons par les bases ! Le système alphabétique coréen, le Hangul, a 14 consonnes et 10 voyelles (avec en plus 5 consonnes accentuées et 11 doubles voyelles).

Faites attention à celles en gris. D'apparence, elles ont l'air d'avoir 2 fois la même consonne de base (c'est-à-dire : "ㄲ" a deux "ㄱ", et "ㄸ" a deux "ㄷ" et ainsi de suite).

Il y en a 5 de celles-ci, et elles sont appelées **consonnes accentuées**, qui sont prononcées avec un son plus fort et plus marqué (parce qu'avoir deux fois la même consonne rendrait le son plus fort, n'est-ce pas ?). Elles ressemblent aux C, T et P prononcés en espagnol. C'est-à-dire "ㄲ" ressemble à "c" de "Corea", "ㄸ" ressemble à "t" de "tiburón" et "ㅃ" ressemble à "p" de "pollo".

MP3 (1)

	Nom	Prononciation (initiale/finale)	Approximation en anglais	Exemple en coréen
ㄱ	기역 gi-yŏk	g / k	**g**ood	가수 **g**asu
ㄲ	쌍기역 ssang gi-yŏk	kk / k	s**k**in	꿈 **kk**um
ㄴ	니은 ni-ŭn	n / n	**n**ano	노루 **n**oru
ㄷ	디귿 di-gŭt	d / t	**d**og	다리 **d**ari
ㄸ	쌍디귿 ssang di-gŭt	dd	s**t**all	땀 **dd**am
ㄹ	리을 ri-ŭl	r / l	**r**oman	라면 **r**amyŏn
ㅁ	미음 mi-ŭm	m / m	**m**an	마법 **m**abŏp
ㅂ	비읍 bi-ŭp	b / p	**b**ean	보배 **b**obae
ㅃ	쌍비읍 ssang bi-ŭp	bb	s**p**it	빨리 **bb**ali
ㅅ	시옷 si-ot	s / t	**s**ing	소리 **s**ori
ㅆ	쌍시옷 ssang si-ot	ss	**s**ee	싸움 **ss**aum
ㅇ	이응 i-ŭng	**silence** / ng	**voyelle**	아기 **a**gi
ㅈ	지읒 ji-ŭt	j / t	**j**am	자유 **j**ayu
ㅉ	쌍지읒 ssang ji- ŭt	jj	ha**ts**	짬뽕 **jj**amppong
ㅊ	치읓 chi-ŭt	ch / t	**ch**ange	최고 **ch**oego
ㅋ	키읔 ki-ŭk	k / k	**k**ing	커피 **k**ŏpi
ㅌ	티읕 ti-ŭt	t / t	**t**ime	타자 **t**aja
ㅍ	피읖 pi-ŭp	p / p	**p**rize	피로 **p**iro
ㅎ	히읗 hi-ŭt	h / t	**h**ome	해변 **h**aebyŏn

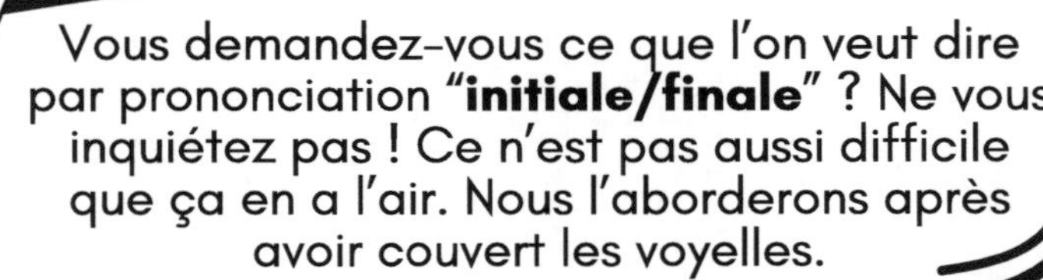

	Prononciation	Approximation en anglais	Exemple en coréen
ㅏ	a	grandpa	자두 jadu
ㅑ	ya	see-ya	야구 yagu
ㅓ	ŏ	up	접시 jŏpsi
ㅕ	yŏ	young	명화 myŏnghwa
ㅗ	o	go	고무 gomu
ㅛ	yo	yogurt	교사 gyosa
ㅜ	u	root	우주 uju
ㅠ	yu	you	소유 soyu
ㅡ	ŭ	good	그림 gŭrim
ㅣ	i	hit	소리 sori
ㅔ	e	energy	세기 segi
ㅐ	ae	tablet	대박 daebak
ㅒ	yae	yes	얘기 yaegi
ㅖ	ye	yes	예복 yebok
ㅙ	oae	where	안돼 andwae
ㅞ	ue	quest	훼손 hweson
ㅚ	oe	wet	최고 choego
Alors que "ㅚ" est "ㅗ" + "ㅣ", donc "oi" semble correct quand on suit les règles, mais c'est prononcé "oe" et ce n'est pas considéré comme une "double voyelle" non plus.			
ㅘ	wa	what	과일 gwail
ㅟ	wi	wisconsin	귀 gwi
ㅢ	ŭi	we	의자 ŭija
ㅝ	wŏ	wonder	권투 gwontu

Écoutez attentivement et répétez !

Les symboles de prononciation pour les voyelles suivent le système McCune-Reischauer.
Pour plus de détails sur ce système, consultez : http://mccune-reischauer.org

Et celles en gris sont appelées **doubles voyelles.** Elles sont faites de deux voyelles pour créer un son.

Gardez en mémoire qu'il n'y a pas de lettres françaises/romaines qui décrivent parfaitement les sons, mais si vous continuez d'écouter les fichiers audio et de vous entraîner, vous allez commencer à entendre les différences !

ㅗ + ㅐ = 왜

[o] [e] [wae]

Une chose que vous avez peut-être remarquée est comment " ㅐ " et " ㅔ " sonnent pratiquement pareil, de même pour "ㅚ", "ㅙ" et "ㅞ".

Jusqu'à la fin du 20ème siècle, les gens distinguaient la petite différence venant de la position de la langue et de la bouche, mais les différences sont rarement observées de nos jours, et la plupart des Coréens ne peuvent les différencier (mais ils signifient des choses différentes à l'écrit !).

ㅐ ㅔ

ㅚ ㅙ ㅞ

Et aussi ayez une attention particulière pour la voyelle "—", qui est transcrite en utilisant le symbole phonétique ŭ. Même si nous avons utilisé le mot "good" comme exemple, il ne réplique pas complètement le son. C'est une voyelle que beaucoup d'étrangers, surtout les anglophones, ont du mal avec, mais vous serez capable de l'apprendre au fur et à mesure que nous continuons de nous entraîner.

ㅡ

QUIZ D'ENTRAÎNEMENT

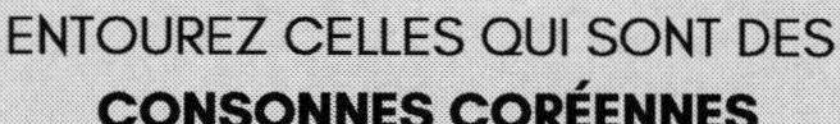
ENTOUREZ CELLES QUI SONT DES
CONSONNES CORÉENNES

ㄱ	ㅑ	ㅉ	二	ㄷ
ㅕ	ㅗ	ㅠ	E	T
金	ㅎ	○	ㅞ	ㅒ
ㅝ	ㅁ	ㅂ	ㅜ	ㅅ
ㅋ	ㅟ	ㅘ	午	ㅙ

bonne réponse: ㄱ, ㄷ, ㅎ,ㅇ,ㅁ,ㅂ,ㅅ,ㅋ

ENTOUREZ CELLES QUI SONT DES
VOYELLES CORÉENNES

ก	六	ㅏ	二	ㅜ
ㅁ	ㅗ	工	E	J
ひ	ㅎ	ย	ㅞ	が
土	ㅓ	ㅅ	○	ㅆ
ㅋ	ㅟ	ㅘ	午	乂

bonne réponse: ㅏ , ㅜ , ㅗ , ㅞ , ㅓ , ㅟ , ㅘ

Les lettres suivantes ne sont pas dans le bon ordre. Écrivez leur numéro dans l'ordre alphabétique correct.

1	2	3	4	5
나	마	라	차	사
6	**7**	**8**	**9**	**10**
자	가	아	하	카
11	**12**	**13**	**14**	
바	타	파	다	

bonne réponse : 7 - 1 - 14 - 3 - 2 - 11 - 5 - 8 - 6 - 4 - 10 - 12 - 13 - 9

LA STRUCTURE SYLLABIQUE

Comme promis, parlons des consonnes initiales/finales !
En coréen, une consonne(s) et une voyelle sont mises ensemble pour former un bloc de syllabe, qui est composé d'une consonne initiale (chosŏng), d'une voyelle médiane (jungsŏng), et d'une consonne finale optionnelle (jongsŏng) connue sous le nom de batchim. Pour créer un bloc de syllabe, vous avez besoin au moins d'une consonne et d'une voyelle.

Prenez l'exemple du mot : "소리 sori (le son)".

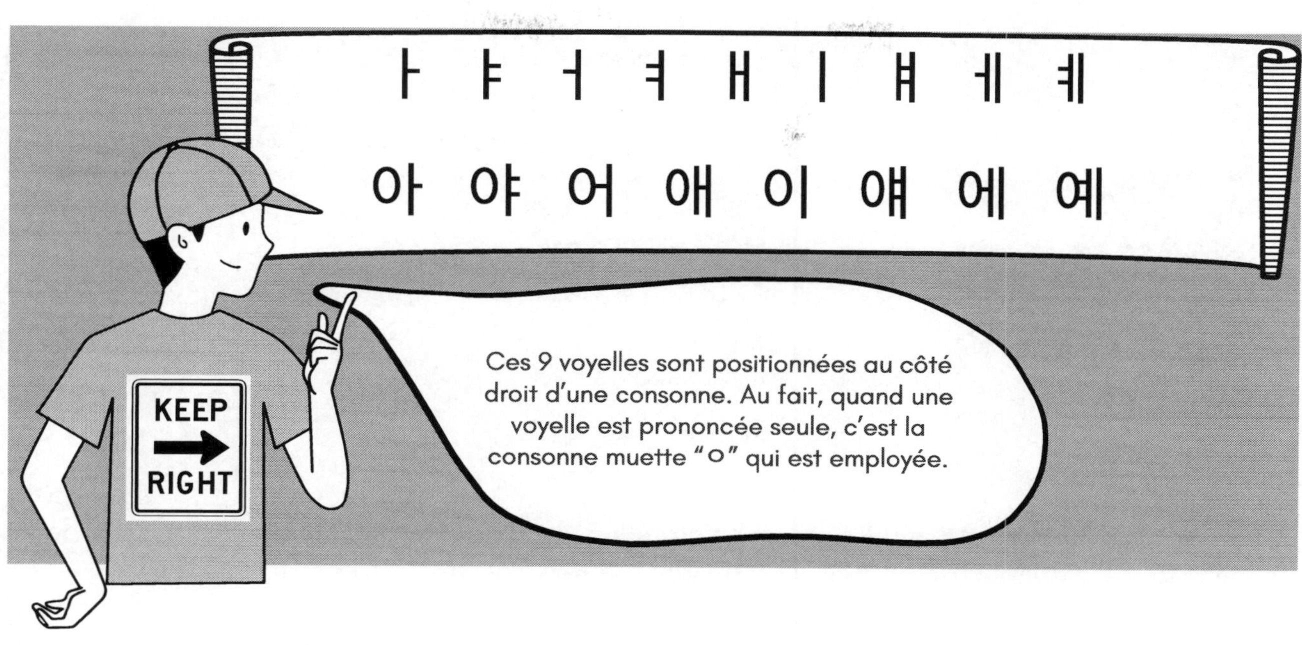
ㅏ ㅑ ㅓ ㅕ ㅐ ㅣ ㅒ ㅔ ㅖ
아 야 어 애 이 얘 에 예
KEEP
RIGHT
Ces 9 voyelles sont positionnées au côté droit d'une consonne. Au fait, quand une voyelle est prononcée seule, c'est la consonne muette "ㅇ" qui est employée.

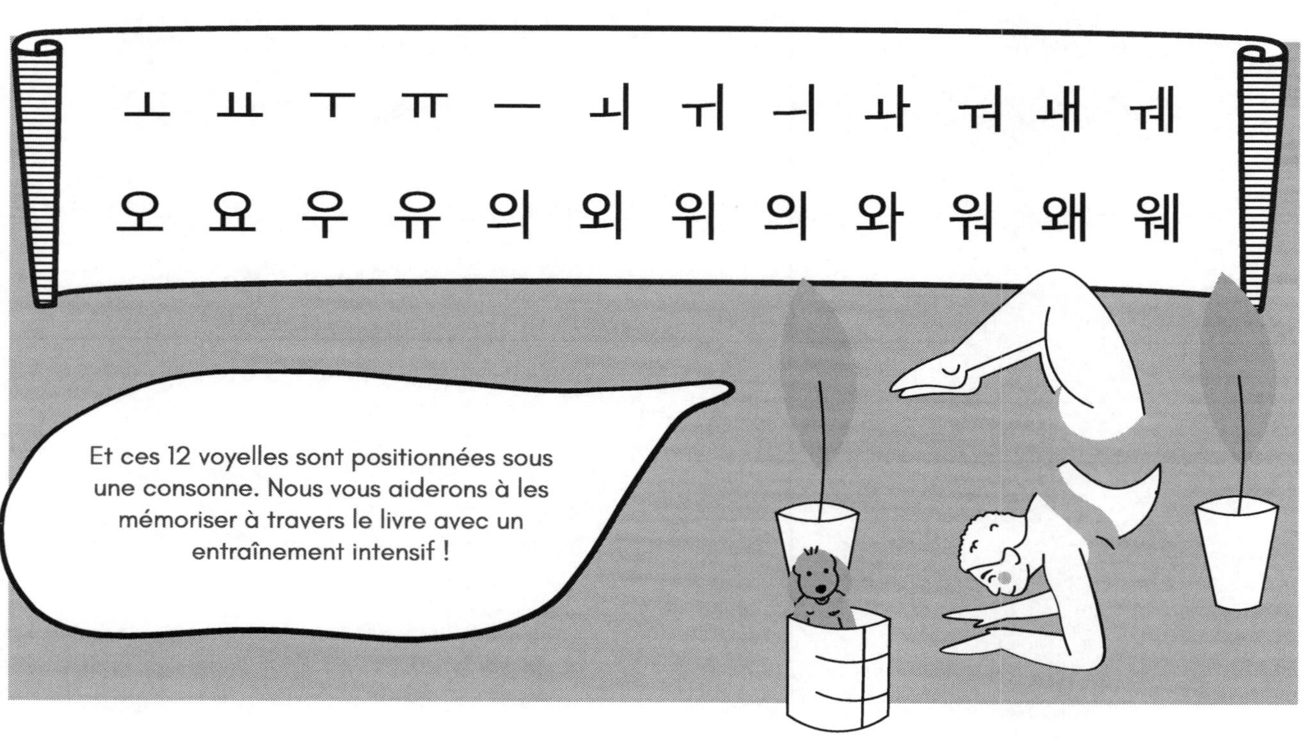
ㅗ ㅛ ㅜ ㅠ ㅡ ㅚ ㅟ ㅢ ㅘ ㅝ ㅙ ㅞ
오 요 우 유 의 외 위 의 와 워 왜 웨
Et ces 12 voyelles sont positionnées sous une consonne. Nous vous aiderons à les mémoriser à travers le livre avec un entraînement intensif !

Retournons à notre exemple, "소리" : chaque bloc de syllabe a une consonne et une voyelle, et n'a pas de consonne finale optionnelle, un batchim.

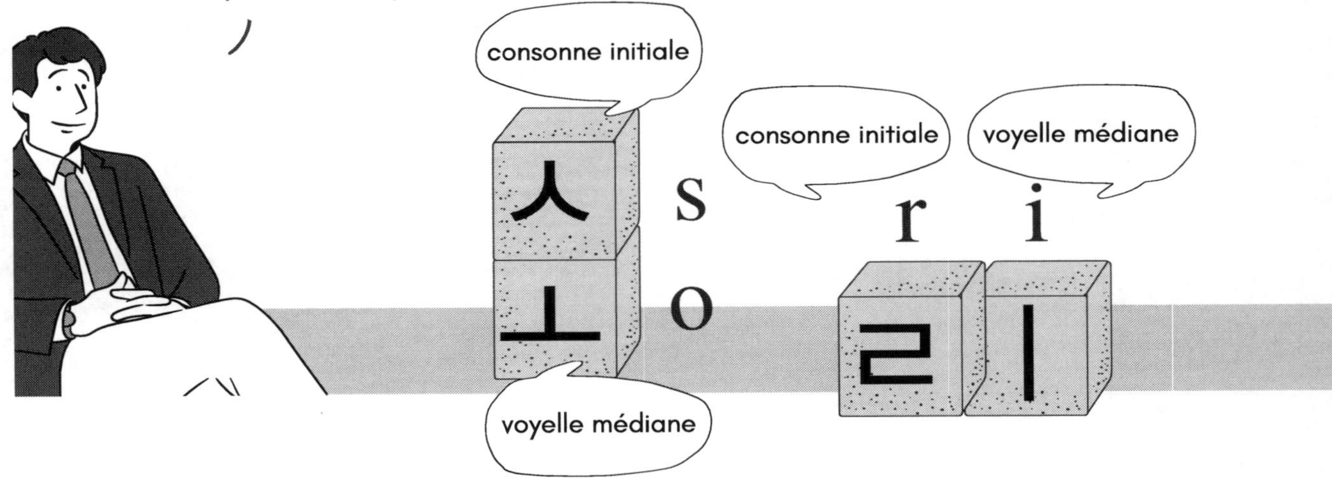

Pour faire simple, le batchim est la dernière/finale consonne d'un mot se terminant par une consonne. Par exemple, en anglais, le mot "foot" a une consonne finale "t", et "sap" a une consonne finale "p". Le mot "employee" n'a pas de consonne finale parce qu'il se termine par une voyelle. Le coréen est pareil, mais avec une représentation graphique différente.

Alors essayons celui-ci : "죽 juk (un porridge)".

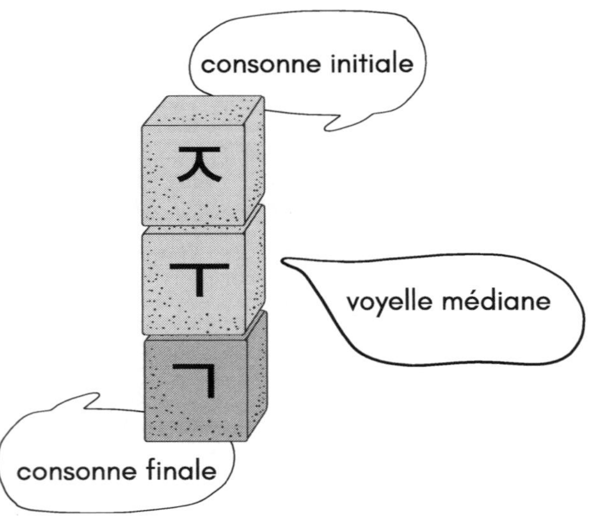

Comme vous pouvez le voir, "ㄱ" vient en bas pour servir de consonne finale.

Notez que la voyelle médiane "ㅜ" est placée sous la consonne "ㅈ".

[La consonne initiale - la voyelle - la consonne finale (le batchim)] est la règle que nous avons apprise juste à la page précédente.

Et si nous prenions un autre exemple ? "각 gak (un angle)".

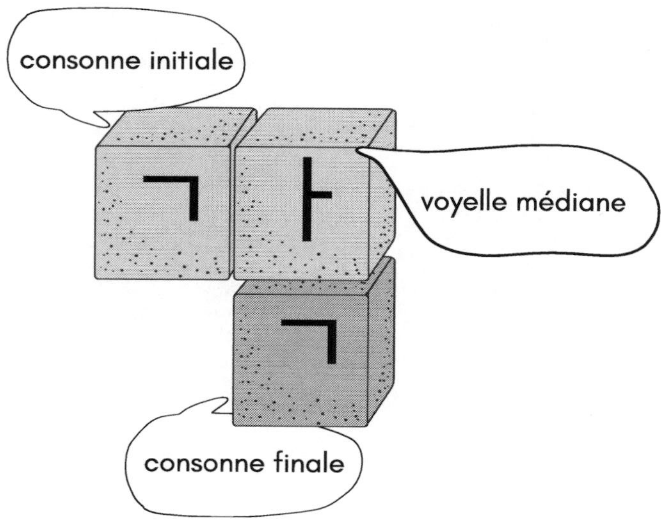

Dans ce cas, la voyelle " ㅏ" est placée du côté droit de la consonne initiale "ㄱ", et la consonne finale "ㄱ" est placée sous la voyelle médiane.

Voici une astuce : la consonne finale (le batchim) est toujours placée sous une voyelle, que la voyelle soit une voyelle de type "côté droit" ou "dessous".

Oh, et le mot batchim signifie "supporter/soutenir", alors imaginez-le simplement porter une consonne et une voyelle, comme le dieu Titan Atlas porte les cieux sur ses épaules.

Téléchargez ici le fichier mp3 ! newampersand.com/audio

QUIZ D'ENTRAÎNEMENT

Parmi les éléments suivants, lequel a-t-il ses parties nommées de manière *incorrecte* ?

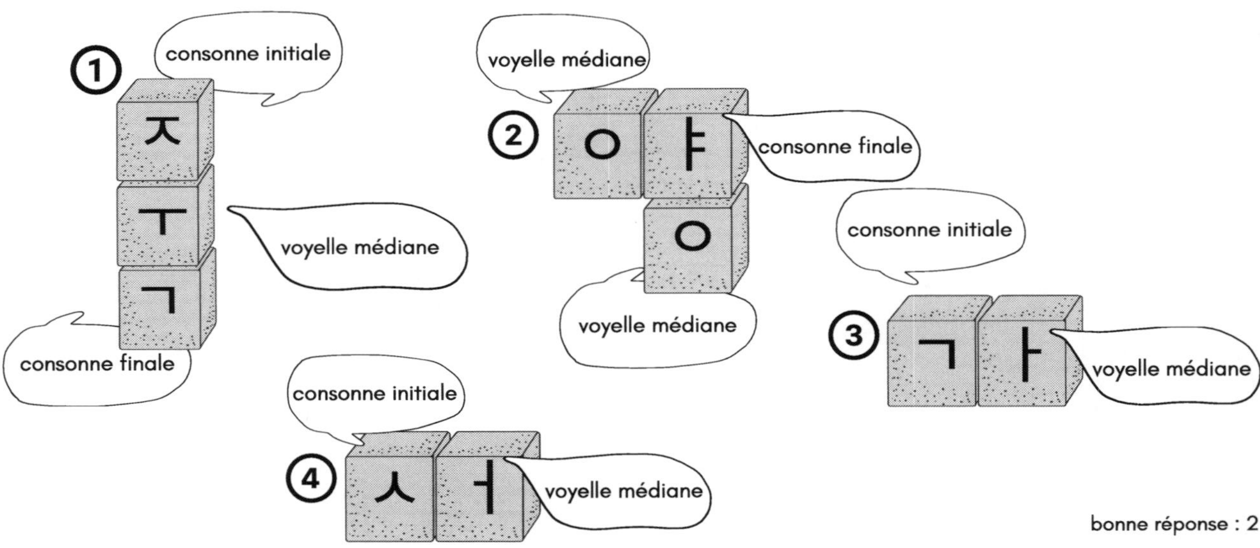

bonne réponse : 2

Lequel des mots suivants n'a pas de batchim (une consonne finale) ?

죽 마 감 손 은

bonne réponse : 마

Les mots suivants sont incomplets. Insérez les consonnes, les voyelles et les batchims corrects !

hak gyo (école) — ㅏ / ㅛ

in gan (homme) — ㅣ / ㄱ

go yang i (minou) — ㄱ / ㅇ / ㅣ

gang a ji (chiot) — ㅇ / ㅇ / ㅈ

mul go gi (poisson) — ㅜ / / ㄱ

son mok si gye (montre-bracelet) — / / ㅅ /

bonne réponse:
학교 / 인간 고양이
강아지 / 물고기 / 손목시계

Téléchargez ici le fichier mp3 ! newampersand.com/audio

LES TYPES DE BLOC SYLLABIQUE

CI = consonne initiale
V = voyelle médiane
F = consonne finale

Une **double consonne finale** est une consonne finale composée de deux consonnes combinées, comme les doubles voyelles.

CI + V **CI + V + F** **CI + V + DOUBLES F**

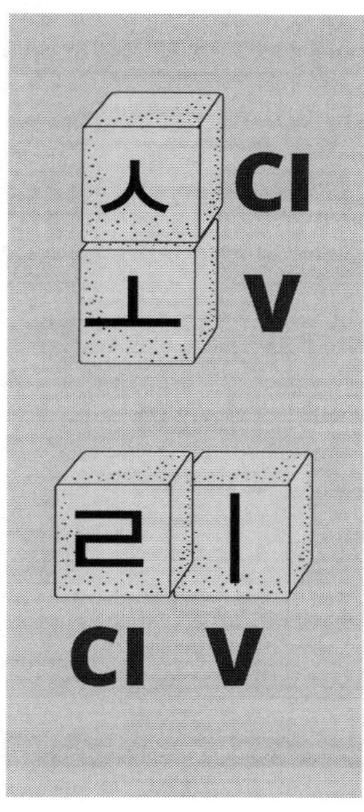

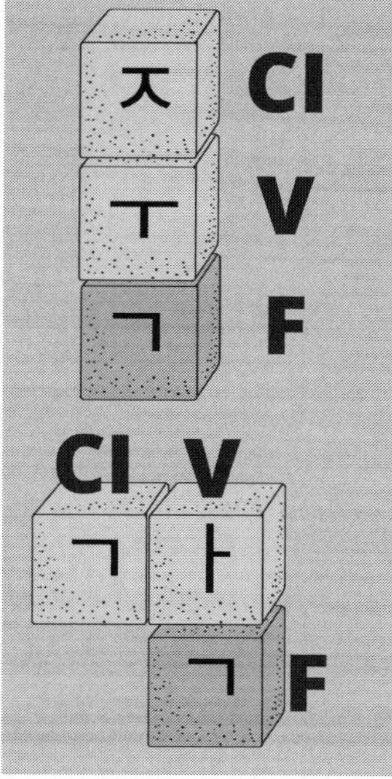

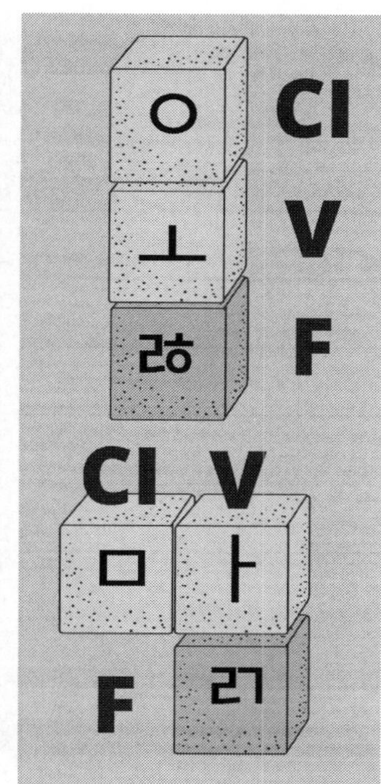

Okay, je suis sûr que vous avez une idée claire de ce qu'est une consonne finale (un batchim), n'est-ce pas ?

Au cas où vous ne l'auriez pas remarqué, notre exemple précédent "각" a la même consonne "ㄱ" comme consonne initiale et finale, mais transcrite avec des lettres différentes de l'alphabet ("g" et "k" respectivement).

Nous avons appris que les consonnes peuvent être utilisées soit comme consonne initiale soit comme consonne finale (batchim), et qu'elles peuvent sonner de manière différente selon la manière dont elles sont utilisées.

	Nom	Prononciation (initiale/finale)	Approximation en anglais	Exemple en coréen
ㄱ	기역 gi-yŏk	g / k	good	가수 gasu

Consonne	Son consonne initiale	Son consonne finale	Lorsque suivie par une consonne		Lorsque suivie par une voyelle	
ㄱ	g	k	책과	chaek-kkwa [꽈]	책이	chae-gi [기]
ㅋ	k		부엌과	buŏk-kkwa [꽈]	부엌에	buŏ-ke [케]
ㄲ	kk		깎다	kkak-dda [따]	깎아	kka-kka[까]
ㄴ	n	n	손과	son-gwa	손이	so-ni [니]
ㄷ	d	t	쏟다	ssot-dda [따]	쏟아	sso-da [다]
			Lorsque suivie par une voyelle "ㅣ (i)", c'est parfois prononcé comme "ㅈ (j)".		쏟이	sso-ji [지]
ㅌ	t		끝단	ggŭt-ddan [딴]	끝에	ggŭ-te [테]
			Lorsque suivie par une voyelle "ㅣ (i)", c'est parfois prononcé comme "ㅊ (ch)".		끝이	ggŭ-chi [치]
ㅅ	s		옷과	ot-kkwa [꽈]	옷이	o-si [시]
ㅆ	ss		있다	it-dda [따]	있어	i-ssŏ [쏘]
ㅈ	j		찾다	chat-dda [따]	찾아	cha-ja [자]
ㅊ	ch		꽃과	kkot-kkwa [꽈]	꽃이	kko-chi [치
ㅎ	h		넣다	nŏt-ta [타]	넣어	nŏ-ŏ [어]
ㄹ	r	l	말과	mal-gwa	말이	ma-ri [리]
ㅁ	m	m	솜과	som-gwa	솜이	so-mi [미]
ㅂ	b	p	집과	jip-kkwa [꽈]	집이	ji-bi [비]
ㅍ	p		잎과	ip-kkwa [꽈]	잎이	i-pi [피]
ㅇ	silence	ng	콩과	kong-gwa	콩이	kong-i [이]

Regarder le tableau ci-dessus vous aidera à comprendre visuellement comment une consonne est prononcée différemment lorsqu'elle est utilisée comme une consonne initiale et comme une consonne finale (un batchim).

Règle : il n'y a que sept sons pour une consonne finale, et ce sont "k", "n", "t", "l", "m", "p", "ng" comme expliqué dans le tableau.

Maintenant regardez attentivement ce qui se passe lorsqu'une consonne finale est suivie par une voyelle. Elle est transférée à la place de "ㅇ" dans la voyelle.

Consonne	Son consonne initiale	Son consonne finale	2 Lorsque suivie par une consonne		1 Lorsque suivie par une voyelle	
ㄱ	g	k	책과	chae**k-kk**wa [꽈]	책이	chae-gi
ㅋ	k		부엌과	buŏ**k-kk**wa [꽈]	부엌에	buŏ-ke
ㄲ	kk		깎다	kka**k-dd**a [따]	깎아	kka-kka
ㄴ	n	n	손과	so**n**-gwa	손이	so-ni

1 Voyez les choses simplement comme ça. Nous avons appris qu'une syllabe a "ㅇ" comme substitut de consonne sonore lorsqu'elle est écrite seule (par exemple : 아, 어, 여, etc.). Alors la consonne finale de la syllabe précédente vient à la place du substitut.

Par exemple, le mot "솜 som (coton)", lorsqu'il est suivi par une voyelle " 이 i" :

솜 som + 이 i
La consonne finale "m" vient à la place de "ㅇ", le porte-voyelle.

솜↗이 C'est donc prononcé [소미] so-mi.

La même chose pour "부엌 buŏk (cuisine)", lorsqu'il est suivi par la voyelle "에 e".

부엌 buŏk + 에 e

La consonne finale "k" vient à la place de "ㅇ", le porte-voyelle.

부엌↗에 C'est donc prononcé [부어케] buŏ-ke.

Notez que le son de la consonne suivante est affecté lorsqu'elle est suivie par une consonne :
Batchim "ㄱ (k)" + syllabe suivante "ㄱ (g)" = "ㄲ"

À la place de "책과" [chae**k**-**g**wa] (x), cela devient un son accentué [chae**k**-**kk**wa] (o).

Consonne finale batchim		Son de la consonne suivante		Son affecté
ㄱ (k) ㅋ (k) ㄲ (k) ㄷ (t) ㅌ (t) ㅅ (t) ㅆ (t) ㅈ (t) ㅊ (t) ㅂ (p) ㅍ (p)	+	ㄱ (g) ㄷ (d) ㅂ (b) ㅅ (s) ㅈ (j)	=	ㄲ (kk) ㄸ (dd) ㅃ (bb) ㅆ (ss) ㅉ (jj)

"ㅎ" est particulier. Même s'il appartient à la catégorie (t), il affecte les "ㄱ (g)" et "ㄷ (d)" qui le suivent de manière différente. Apprenez-les.

Consonne finale batchim		Son de la consonne suivante		Son affecté
ㅎ (t)	+	ㄱ (g) ㄷ (d) ㅂ (b) ㅅ (s) ㅈ (j)	=	ㅋ (k) ㅌ (t) ㅃ (bb) ㅆ (ss) ㅉ (jj)

Enfin, les consonnes colorées gardent leur son de consonne initiale lorsqu'elles sont suivies par une voyelle.

Consonne	Son consonne initiale	Son consonne finale	Exemple		Lorsque suivie par une voyelle	
ㅎ	h	t	넣다	nŏt-ta [타]	넣어	nŏ-ŏ
ㅇ	silence	ng	콩과	kong-gwa	콩이	kong-i

Encore quelques exemples pour vous aider à comprendre :

ㅎ	h	t	닿다	dat-ta [타]	닿아	da-a
ㅇ	silence	ng	망과	mang-gwa	망이	mang-i

Selon la règle, "닿다 dat-ta" devrait être prononcé [다타], mais en réalité, c'est fréquemment prononcé "dat-dda [다따]".

Maintenant, en plus de la liste des consonnes finales que nous avons apprise, il y a des types spéciaux de consonnes, qui sont appelées des consonnes finales doubles ("겹받침 gyeopbatchim"). Il y en a 11.

Consonne	Son représentatif	Exemple		Lorsque suivie par une voyelle	
ㄳ	k	넋과	nŏk-kkwa [넉꽈]	넋이	nŏk-si [시]
ㄺ		읽다	ik-dda [익따]	읽어	il-gŏ [거]
ㄵ	n	앉다	an-dda [안따]	앉아	an-ja [자]
● ㄼ	l	넓다	nŏl-dda [널따] ●	넓이	nŏl-bi [비]
ㄽ		외곬	oe-gol [외골]	외곬이	oe-gol-si [시]
● ㄾ		핥다	hal-dda [할따] ●	핥아	hal-ta [타]
ㅀ		닳다	dal-ta [달타]	닳아	da-ra [라]
ㅄ	p	없다	ŏp-dda [업따]	없이	ŏp-si [시]
ㄿ		읊다	ŭp-dda [읍따]	읊어	ŭl-pŏ [퍼]
ㄻ	m	삶다	sam-dda [삼따]	삶아	sal-ma [마]
ㄶ	n	많다	man-ta [만타]	많아	ma-na [나]

Notez que pour les sons L, "ㄼ" et "ㄾ" affectent la consonne suivante pour devenir un son accentué. Si cela suivait la règle générale où seule la première partir du double batchim est prononcé, cela devrait être "핥다" → "할다" [hal-da] et ne devrait pas rendre la consonne d'après un son accentué, mais ce sont des exceptions.

En général, ils suivent les règles que nous avons apprises, mais pour les élèves visuels, je vais les décomposer.

Prenons "읽" comme exemple. Comme vous pouvez le voir, la double consonne finale "ㄺ" a deux consonnes combinées. Elles sont "ㄹ (l)" + "ㄱ (k)" et elles suivent les règles générales où le son de la consonne initiale va à la place du porte-voyelle "ㅇ". Mais il y en a deux ! Laquelle va là ? C'est simple !

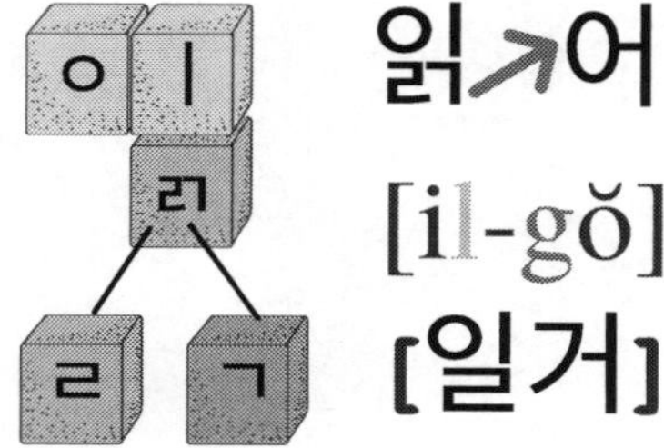

Lorsque c'est suivi par une voyelle, la première partie est prononcée et la seconde va partir dans "ㅇ" !

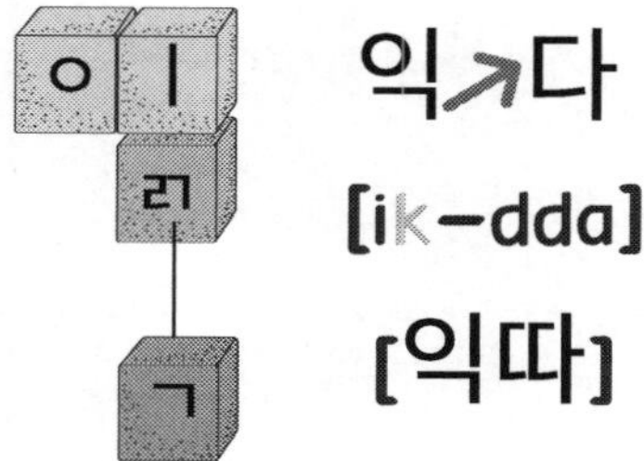

Lorsque c'est suivi par une consonne, le son représentatif est prononcé et cela affecte la consonne d'après, selon les règles que nous avons abordées quelques pages avant.

Cela couvre quasiment les éléments fondamentaux de l'alphabet coréen, le Hangul, notamment la prononciation, la structure syllabique, et comment les sons sont affectés selon ce qui vient avant et après une consonne/voyelle.
Il y a de nombreuses règles et exceptions à retenir, mais cela est pratiquement impossible et cela n'aurait pas de sens pour nous de toutes vous les présenter.
À la place, la meilleure façon de les apprendre est à travers l'entraînement ! Nous vous donnerons beaucoup d'exemples et des questions d'entraînement, alors... Attachez vos ceintures et on y va !
consonne initiale
voyelle
consonne finale
consonne finale
ㄱ
ㅏ
ㄱ

QUIZ D'ENTRAÎNEMENT

Nous avons appris que les consonnes coréennes peuvent être utilisées comme consonne initiale mais aussi comme consonne finale (batchim). Associez les pièces de puzzle suivantes pour compléter un mot.

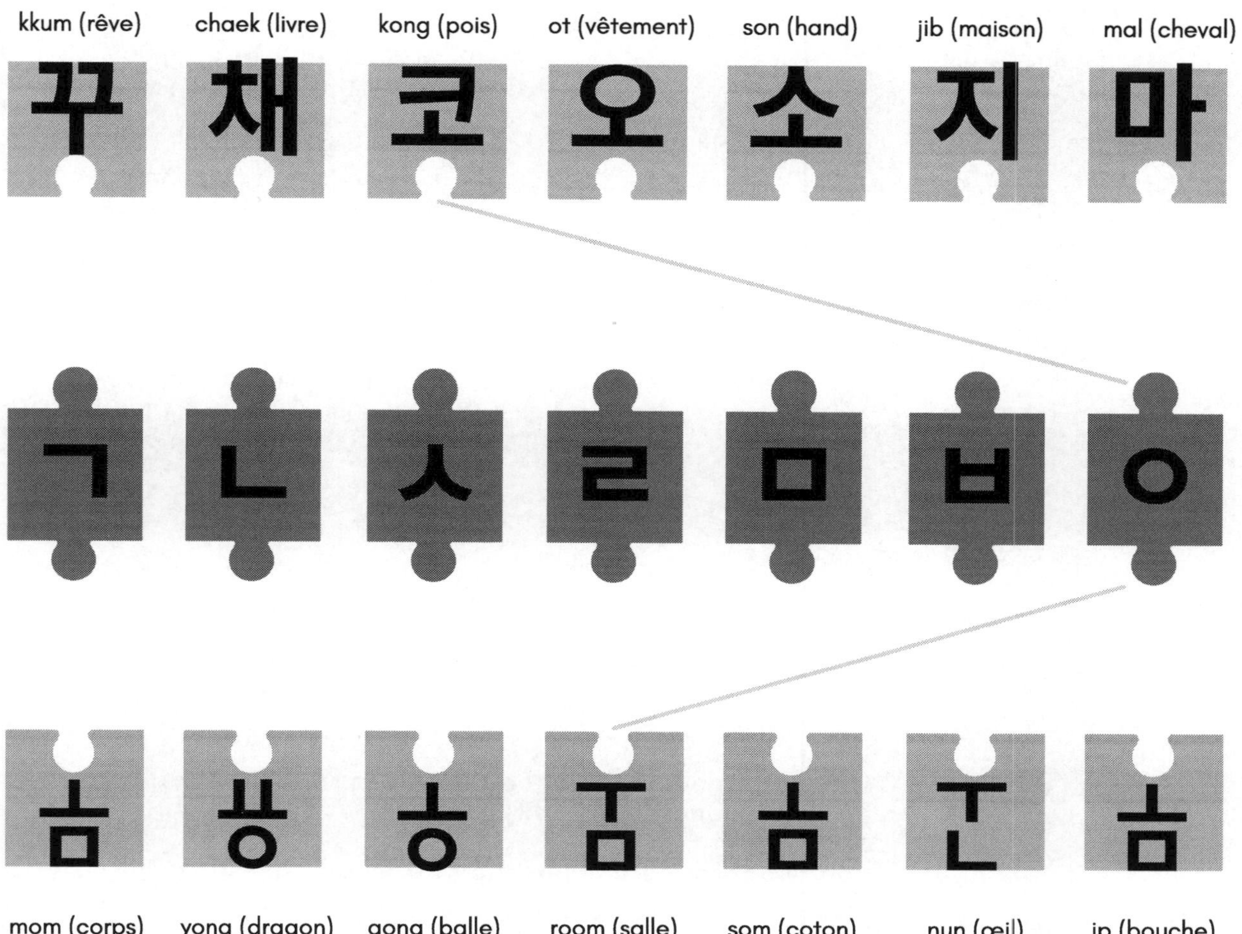

bonne réponse : dessus : 꿈 / 책 / 콩 / 옷 / 손 / 집 / 말 sous : 몸 / 용 / 공 / 룸 / 솜 / 눈 / 입

Nous avons appris que certaines consonnes finales (batchims) affectent la consonne qui les suit. Choisissez la prononciation correctement transcrite.

MP3 (5)

1.목과
A.목와 [mok-wa] B. 목꽈 [mok-kkwa]
C. 목화 [mok-hwa] D. 목똬 [mok-ddwa]

2.돈도
A.돈오 [don-o] B. 돈또 [don-ddo]
C. 돈토 [don-to] D. 돈도 [don-do]

3.읻게
A.읻에 [it-e] B. 읻께 [it-kke]
C. 읻쎄 [it-sse] D. 읻쩨 [it-jje]

4.맞아
A.맞싸 [mat-ssa] B. 마자 [ma-ja]
C. 마아 [ma-a] D. 맞사 [mat-sa]

5.꽃이
A.꼬시 [kko-si] B. 꼬지 [kko-ji]
C. 꼬치 [kko-chi] D. 꼬이 [kko-i]

6.놓다
A.노타 [no-ta] B. 노아 [no-a]
C. 노하 [no-ha] D. 노따 [no-dda]

7.울고
A.울꼬 [ul-kko] B. 우꼬 [u-kko]
C. 울코 [ul-ko] D. 울고 [ul-go]

8.밥을
A.밥슬 [bap-sŭl] B. 바블 [ba-bŭl]
C. 바을 [ba-pŭl] D. 바플 [[ba-pŭl]

9.숲과
A.숲와 [sup-wa] B. 숲콰 [sup-kwa]
C. 숲꽈 [sup-kkwa] D. 숲솨 [sup-swa]

10.공을
A.곤글 [gon-gŭl B. 공를 [gong-rŭl]
C. 고을 [go-ŭl] D. 공을 [gong-ŭl]

11. 방과
A.방꽈 [bang-kkwa] B. 방콰 [bang-kwa]
C. 방과 [bang-gwa] D. 방와 [bang-wa]

bonne réponse: 1. B. 목꽈 [mok-kkwa] 2. D. 돈도 [don-do] 3. B. 읻께 [it-kke] 4. B. 마자 [ma-ja] 5. C. 꼬치 [kko-chi] 6. A.노타 [no-ta] 7. D. 울고 [ul-go] 8. B. 바블 [ba-bŭl] 9. C. 숲꽈 [sup-kkwa] 10. D. 공을 [gong-ŭl] 11. C. 방과 [bang-gwa]

Comme nous l'avons appris, les consonnes finales tombent dans trois catégories par leur prononciation : K/T/P.

Placez la bonne consonne dans le sac correspondant.

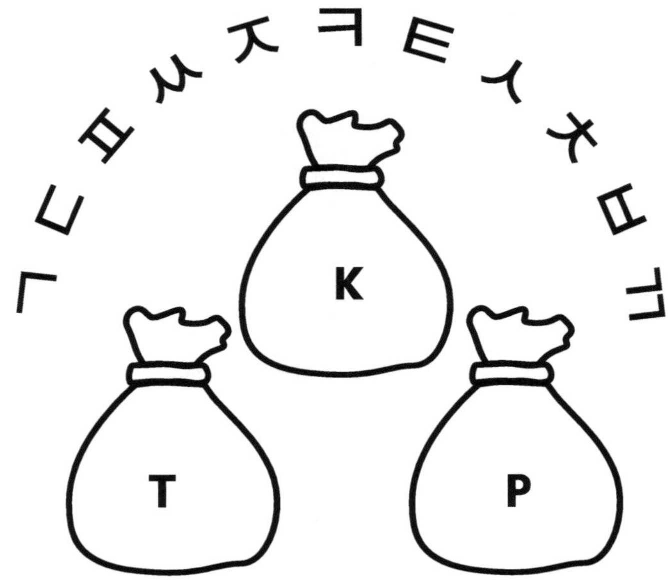

bonne réponse :
K : ㄱ ㅋ ㄲ
T : ㄷ ㅌ ㅅ ㅆ ㅈ ㅊ
P : ㅂ ㅍ

Nous avons appris que pour les doubles batchims, lorsqu'ils sont suivis par une voyelle, la première partie est prononcée et la seconde partir va à la place de "ㅇ". Inversement, lorsqu'ils sont suivis par une consonne, seule la première partie est prononcée et cela affecte la consonne qui suit si c'est applicable.

Choisissez la prononciation correcte.

1.얇아
A.얄라 [yal-la] B. 야라 [ya-ra]
C. 얄바 [yal-ba] D. 얍빠 [yap-bba]

2.앉아
A.안자 [an-ja] B. 아나 [a-na]
C. 안나 [an-na] D. 안타 [an-ta]

3.얇게
A.얄테 [yal-te] B. 얄게 [yal-ge]
C. 얄께 [yal-gge] D. 얍께 [yap-gge]

4.앉고
A.앙고 [ang-go] B. 안조 [an-jo]
C. 안코 [an-ko] D. 안꼬 [an-kko]

5.없다
A.업따 [ŏp-dda] B. 업사 [ŏp-sa]
C. 업빠 [ŏp-bba] D. 엇다 [ŏt-da]

6.없이
A.어비 [ŏ-bi] B. 업씨 [ŏp-ssi]
C. 어이 [ŏ-i] D. 어시 [ŏ-si]

7.옮다
A.옴아 [om-a] B. 올따 [ol-dda]
C. 옴따 [om-dda] D. 옴짜 [om-jja]

8.옮아
A.오라 [o-ra] B. 올라 [ol-la]
C. 오마 [o-ma] D. 올마 [[ol-ma]

9.많다
A.마다 [ma-da] B. 만아 [man-a]
C. 만나 [man-na] D. 만타 [man-ta]

10.많이
A.마니 [ma-ni] B. 마히 [ma-hi]
C. 만히 [man-hi] D. 만니 [man-ni]

bonne réponse : 1. C. 얄바 [yal-ba] 2. A.안자 [an-ja] 3. C. 얄께 [yal-gge] 4. D. 안꼬 [an-kko] 5. A.업따 [ŏp-dda] 6. B. 업씨 [ŏp-ssi] 7. C. 옴따 [om-dda] 8. D. 올마 [[ol-ma] 9. D. 만타 [man-ta] 10. A.마니 [ma-ni]

CONSONNE #1

Lisez à voix haute quand vous écrivez !

기역 (gi-yŏk)

Son consonne initiale 'g' **가**위 [**g**awi] ciseau(x)
Son consonne finale 'k' 수**학** [suha**k**] mathématiques

MP3 (7)

Son consonne initiale 'g'	Son consonne finale 'k'	Lorsque suivie par une voyelle	Influence sur la consonne qui suit
고민 [**g**omin] souci	**책** [chae**k**] livre	책**아** [chae-**g**a] [**가**]	책**과** [chae**k**-kkwa] [**꽈**]
구름 [**g**urŭm] nuage	오**락** [ora**k**] amusement	책**을** [chae-**g**ŭl] [**글**]	책**도** [chae**k**-ddo] [**또**]
개미 [**g**aemi] fourmi	이**익** [ii**k**] bénéfice	책**우** [chae-**g**u] [**구**]	책**방** [chae**k**-bbang] [**빵**]
가위 [**g**awi] ciseau(x)	기**록** [giro**k**] record	책**오** [chae-**g**o] [**고**]	책**상** [chae**k**-ssang] [**쌍**]
기회 [**g**ihoe] chance	직**각** [jikga**k**] angle droit	책**이** [chae-**g**i] [**기**]	책**좀** [chae**k**-jjom] [**쫌**]
계피 [**g**yepi] cannelle	수**학** [suha**k**] mathématiques		

CONSONNE #2

니은 (ni-ŭn)

Son consonne initiale 'n' 나비 [nabi] papillon
Son consonne finale 'n' 기린 [girin] girafe

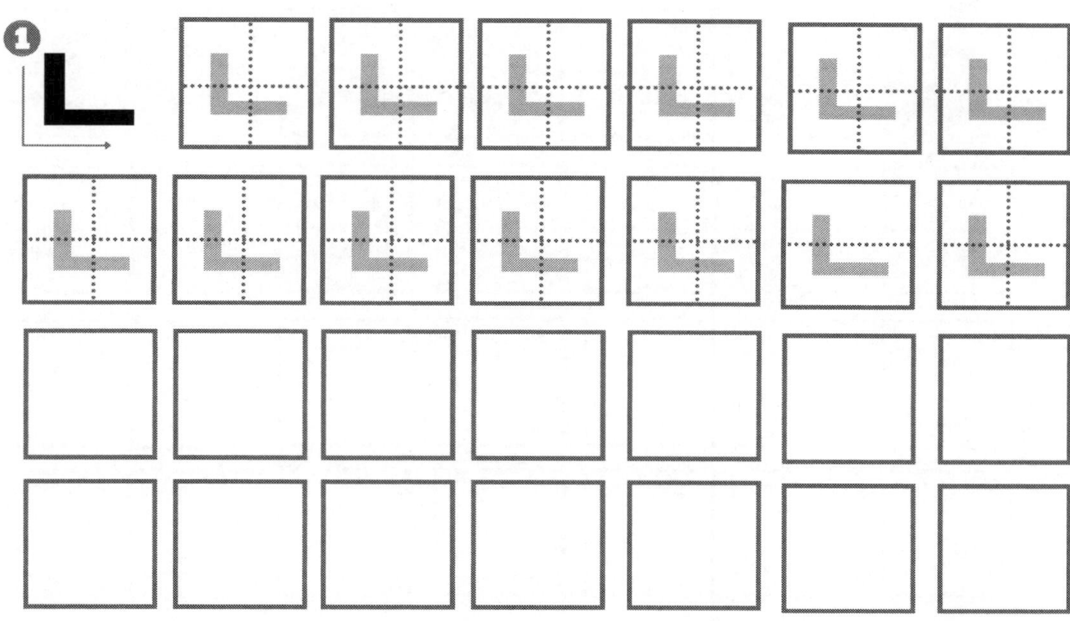

Son consonne initiale 'n'	Son consonne finale 'n'	Lorsque suivie par une voyelle	Influence sur la consonne qui suit
노인 [**n**oin] personne âgée	돈 [do**n**] argent	돈아 [do-**na**] [나]	
누름 [**n**urŭm] presser	오인 [oi**n**] méprise	돈을 [do-**nŭ**l] [늘]	
내일 [**n**aeil] demain	이민 [imi**n**] immigration	돈우 [do-**nu**] [누]	N'affecte pas la consonne qui suit.
나이 [**n**ai] âge	사진 [saji**n**] photo	돈오 [do-**no**] [노]	
네모 [**n**emo] quadrilatère	구인 [gui**n**] embauche	돈이 [do-**ni**] [니]	
뉴욕 [**n**yuyok] New York	반 [ba**n**] moitié		

CONSONNE #3

디귿 (di-gŭt)

Son consonne initiale 'd' 다리 [**d**ari] jambe
Son consonne finale 't' 숟가락 [su**t**garak] cuillère

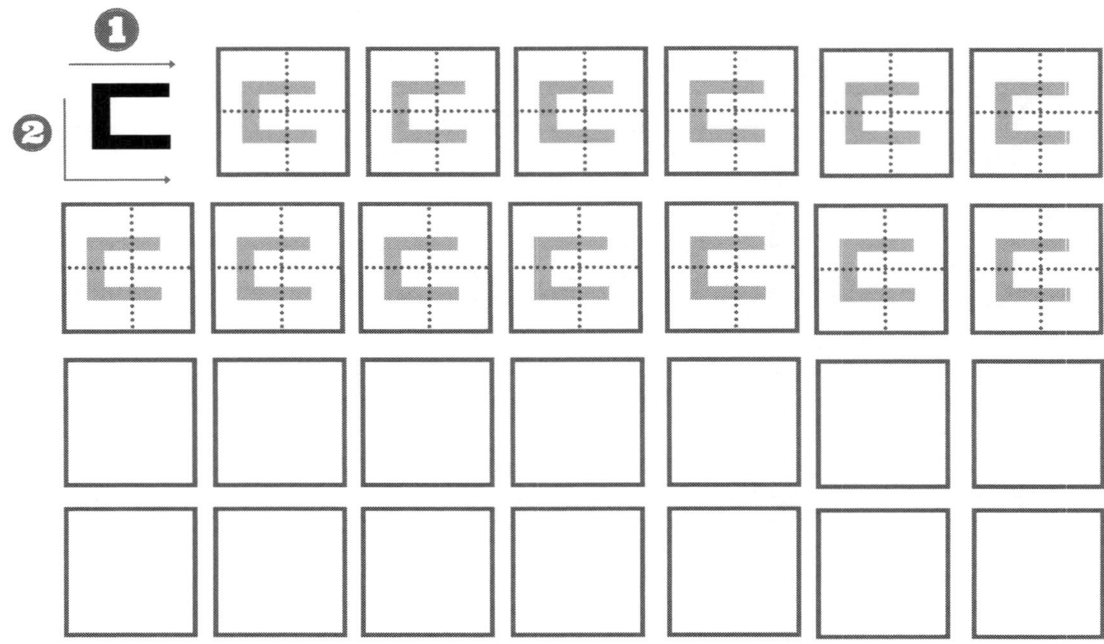

Son consonne initiale 'd'	Son consonne finale 't'	Lorsque suivie par une voyelle	Influence sur la consonne qui suit
도민 [**d**omin] habitant d'une province	**닫**다 [da**t**-dda] fermer	닫**아** [da-**d**a] [**다**]	믿**고** [mi**t**-kko] [**꼬**]
다름 [**d**arŭm] différence	**믿**다 [mi**t**-dda] croire	닫**을** [da-**d**ŭl] [**들**]	믿**다** [mi**t**-dda] [**따**]
두루미 [**d**urumi] grue	**굳**다 [gu**t**-dda] se solidifier	닫**우** [da-**d**u] [**두**]	믿**보** [mi**t**-bbo] [**뽀**]
더하기 [**d**ŏhagi] addition	**듣**다 [dŭ**t**-dda] écouter	닫**오** [dŭ-**d**o] [**도**]	믿**소** [mi**t**-sso] [**쏘**]
대화 [**d**aehwa] coversation	**쏟**다 [sso**t**-dda] renverser	닫**이** [sso-**j**i] [**지**] !	믿**지** [mi**t**-jji] [**찌**]
디귿 [**d**i-gŭt] consonne ㄷ	_ Indique la consonne affectée.		

CONSONNE #4

리을 (ri-ŭl)

Son consonne initiale 'r' 루비 [**r**ubi] rubis
Son consonne finale 'l' 매일 [maei**l**] tous les jours

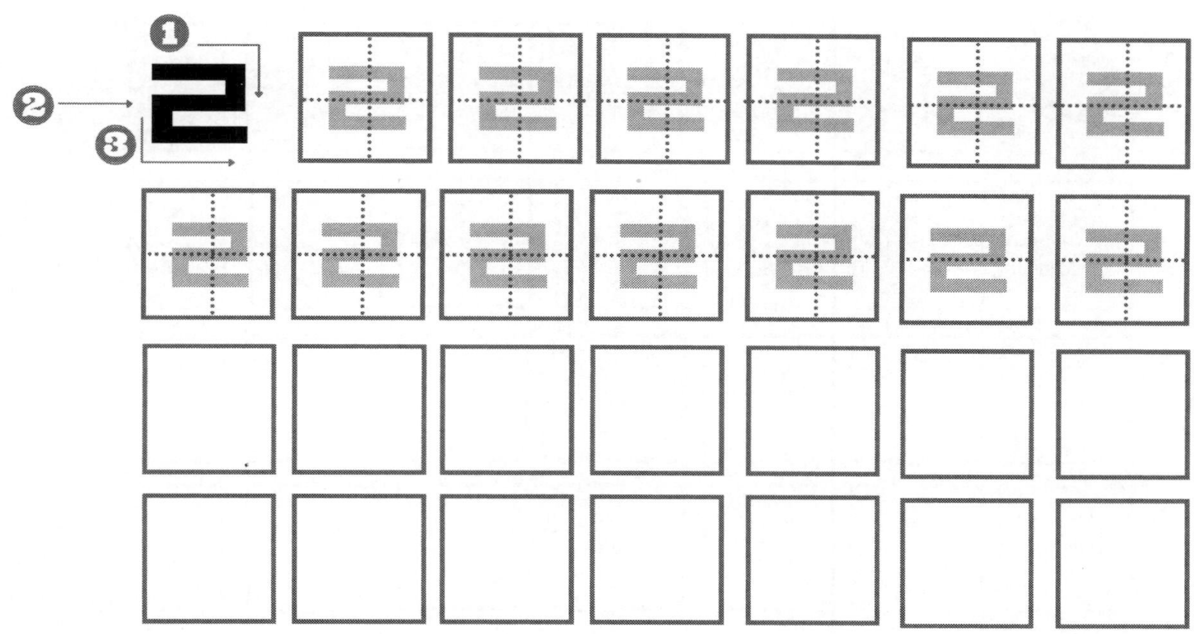

Son consonne initiale 'r'	Son consonne finale 'l'	Lorsque suivie par une voyelle	Influence sur la consonne qui suit
라면 [**r**amyŏn] ramen	**돌** [do**l**] roche	돌**아** [do-**ra**] [**라**]	
라디오 [**r**adio] radio	**발** [ba**l**] pied	돌**을** [do-**rŭl**] [**를**]	
로마 [**r**oma] Rome	오**늘** [onŭ**l**] aujourd'hui	돌**우** [do-**ru**] [**루**]	**N'affecte pas la consonne qui suit.**
리어카 [**r**iŏka] charrette à bras	비**밀** [bimi**l**] secret	돌**오** [do-**ro**] [**로**]	
라이터 [**r**aitŏ] briquet	**귤** [gyu**l**] mandarine	돌**이** [do-**ri**] [**리**]	

*La plupart des mots commençant par "ㄹ" sont des mots étrangers.

CONSONNE #5

미음 (mi-ŭm)

Son consonne initiale 'm' 매일 [**m**aeil] tous les jours
Son consonne finale 'm' 그림 [gri**m**] peinture

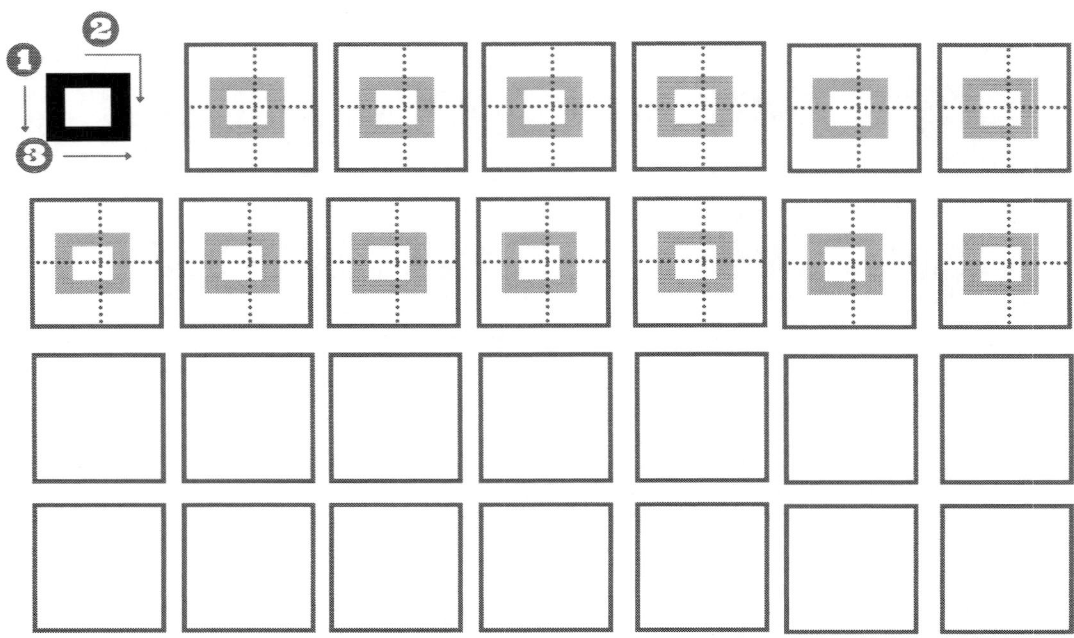

Son consonne initiale 'm'	Son consonne finale 'm'	Lorsque suivie par une voyelle	Influence sur la consonne qui suit
모자 [**m**oja] chapeau	모**임** [moi**m**] rassemblement	모임**아** [moi-**m**a] [마]	
무릎 [**m**urŭp] genoux	**금** [gŭ**m**] or	모임**을** [moi-**m**ŭl] [믈]	
매미 [**m**ae**m**i] cigale	**땀** [dda**m**] sueur	모임**우** [moi-**m**u] [무]	N'affecte pas la consonne qui suit.
마을 [**m**aŭl] village	**밤** [ba**m**] nuit	모임**오** [moi-**m**o] [모]	
미국 [**m**iguk] USA	**점**수 [jŏ**m**-ssu] nombre de points	모임**이** [moi-**m**i] [미]	
머리 [**m**ŏri] tête			

__ Indique la consonne affectée.

CONSONNE #6

비읍 (bi-ŭp)

Son consonne initiale 'b' 바람 [**b**aram] vent
Son consonne finale 'p' 수입 [sui**p**] importation

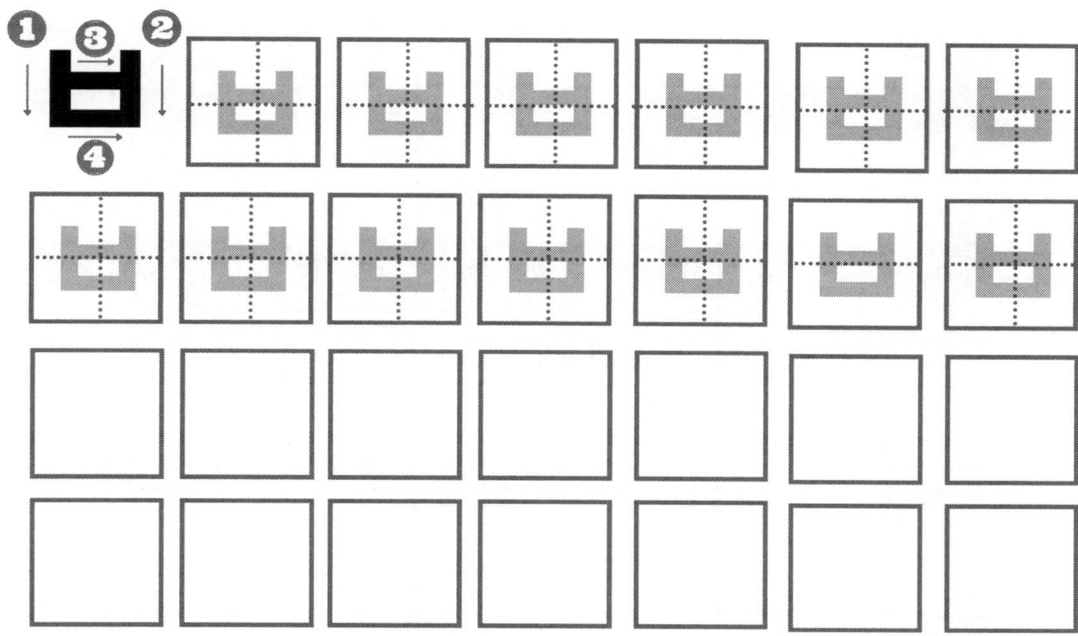

Son consonne initiale 'b'	Son consonne finale 'p'	Lorsque suivie par une voyelle	Influence sur la consonne qui suit
보기 [**b**ogi] exemple	**집** [ji**p**] maison	집**아** [ji-**b**a] [**바**]	집**고** [ji**p**-kko] [**꼬**]
부자 [**b**uja] riche	**과즙** [gwajŭ**p**] jus de fruits	집**을** [ji-**b**ŭl] [**블**]	집**다** [ji**p**-dda] [**따**]
배 [**b**aemi] bateau	**시합** [shiha**p**] match	집**우** [ji-**b**u] [**부**]	집**보** [ji**p**-bbo] [**뽀**]
바위 [**b**awi] roche	**수업** [suŏ**p**] (school) cours	집**오** [ji-**b**o] [**보**]	집**소** [ji**p**-sso] [**쏘**]
비교 [**b**igyo] comparaison	**입구** [i**p**kku] entrée	집**이** [ji-**b**i] [**비**]	집**지** [ji**p**-jji] [**찌**]
버릇 [**b**ŏrŭt] habitude			

Se référer au tableau : même si la consonne finale est prononcée "p", elle sonne "b" lorsqu'elle est suivie par une voyelle.

CONSONNE #7

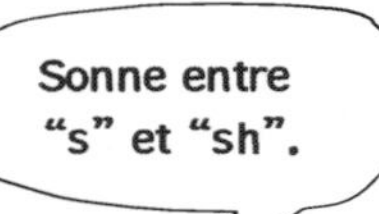

시옷 (si-ot)

Son consonne initiale 's' 소비 [**s**obi] consommation
Son consonne finale 't' 비옷 [bio**t**] imperméable

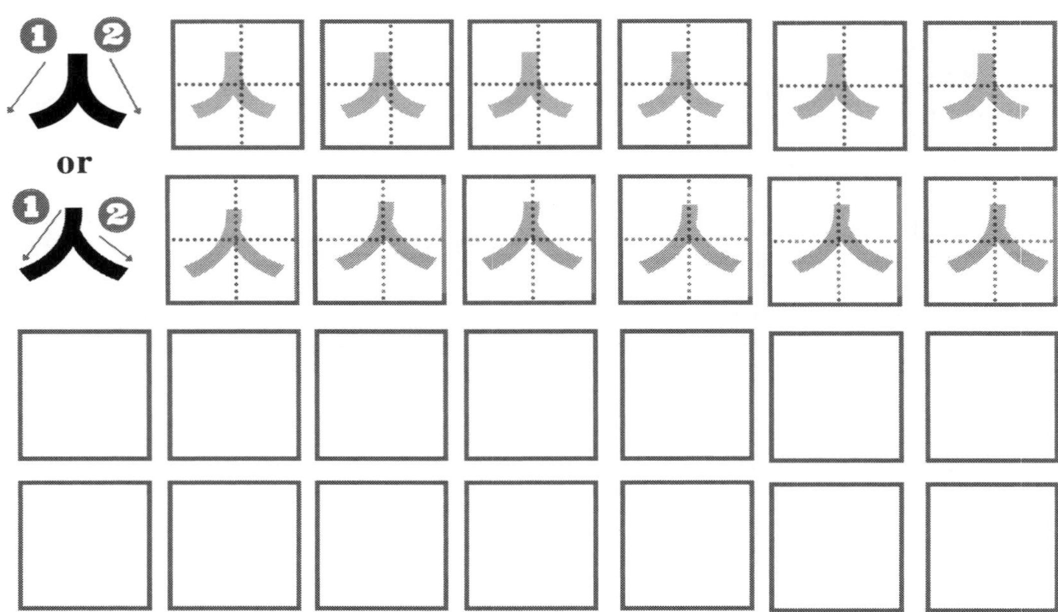

Son consonne initiale 's'	Son consonne finale 't'	Lorsque suivie par une voyelle	Influence sur la consonne qui suit
소주 [**s**oju] soju	**옷** [o**t**] vêtement	옷**아** [o-sa] [**사**]	옷**고** [ot-<u>kk</u>o] [**꼬**]
수입 [**s**uip] importation	**빗** [bi**t**] peigne	옷**을** [o-sŭl] [**슬**]	옷**다** [ot-<u>dd</u>a] [**따**]
새해 [**s**aehae] nouvelle année	**젓**가락 [jŏ**t**-<u>kk</u>arak] baguettes	옷**우** [o-su] [**수**]	옷**보** [ot-<u>bb</u>o] [**뽀**]
사랑 [**s**arang] amour	**맛** [ma**t**] goût	옷**오** [o-so] [**소**]	옷**소** [ot-<u>ss</u>o] [**쏘**]
시계 [**s**igye] montre	**넷** [ne**t**] quatre	옷**이** [o-si] [**시**]	옷**지** [ot-<u>jj</u>i] [**찌**]
서류 [**s**ŏryu] document	__ Indique la consonne affectée.	Se référer au tableau : même si la consonne finale est prononcée "t", elle sonne "s" lorsqu'elle est suivie par une voyelle.	

CONSONNE #8

이응 (i-ŭng)

Son consonne initiale 'son muet' 아기 [**a**gi] bébé
*C'est donc le son de la voyelle.
Son consonne finale 'ng' 봉 [bo**ng**] perche

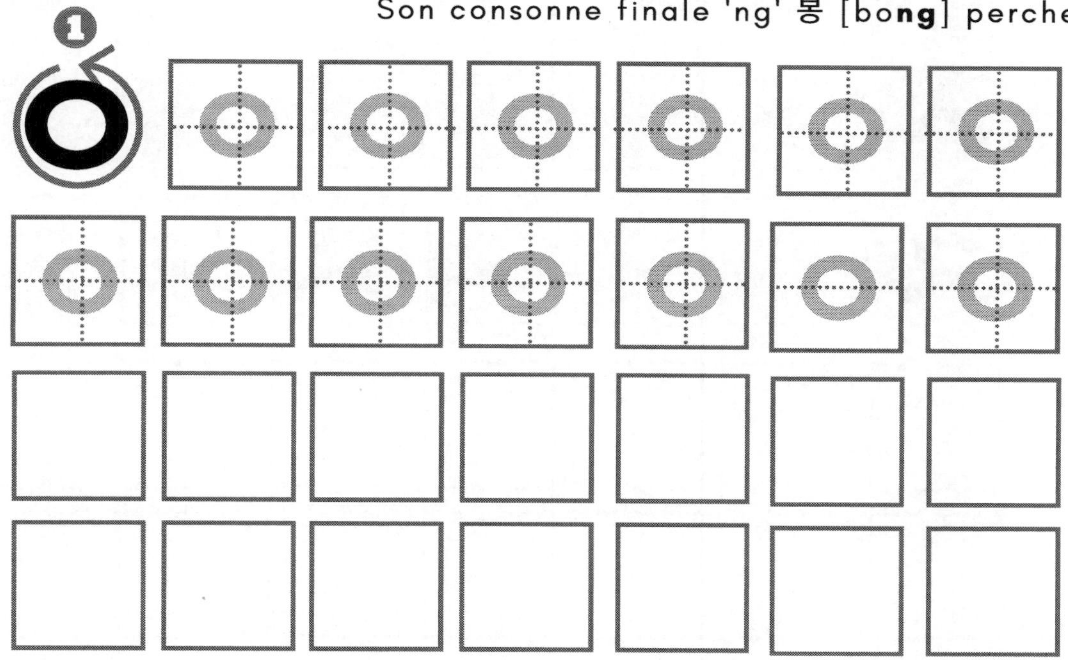

Son consonne initiale 'son muet' (son de la voyelle)	Son consonne finale 'ng'	Lorsque suivie par une voyelle	Influence sur la consonne qui suit
오빠 [**o**bba] grand frère	**징** [ji**ng**] gong	**징아** [jing-a] [**아**]	
우표 [**u**pyo] timbre-poste	**등** [dŭ**ng**] lampe	**징을** [jing-ŭl] [**을**]	
애인 [**ae**in] amoureux(se)	**지방** [jiba**ng**] graisse	**징우** [jing-u] [**우**]	N'affecte pas la consonne qui suit.
아기 [**a**gi] bébé	**가정** [gaŏ**ng**] ménage	**징오** [jing-o] [**오**]	
이름 [**i**rŭn] nom	**공**부 [go**ng**bu] étude	**징이** [jing-i] [**이**]	
어부 [**ŏ**bu] pêcheur(se)			

Pas de changement

CONSONNE #9

지읒 (ji-ŭt)

Son consonne initiale 'j' 자비 [**j**abi] clémence
Son consonne finale 't' 낮 [na**t**] journée

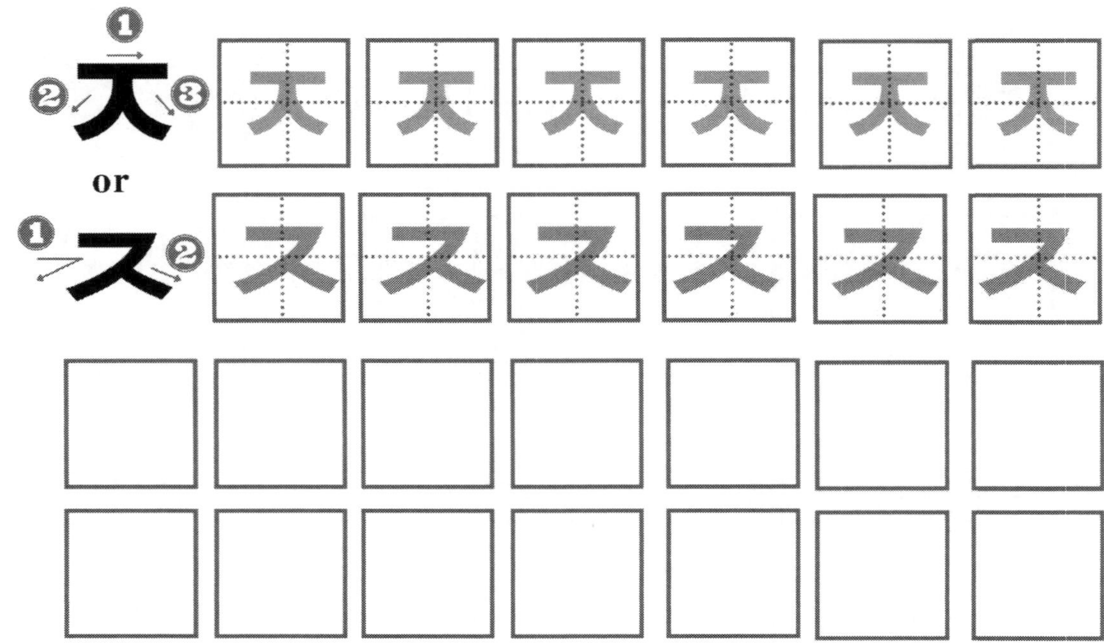

Son consonne initiale 'j'	Son consonne finale 't'	Lorsque suivie par une voyelle	Influence sur la consonne qui suit
조개 [**j**ogae] coquillage	젖 [jŏ**t**] lait	젖아 [jŏ-**j**a] [자]	젖고 [jŏ**t**-kko] [꼬]
주름 [**j**urŭm] ride	곶 [go**t**] cap	젖을 [jŏ-**j**ŭl] [즐]	젖다 [jŏ**t**-dda] [따]
재미 [**j**aemi] amusant	벚꽃 [bŏ**t**kkot] fleur de cerisier	젖우 [jŏ-**j**u] [주]	젖보 [jŏ**t**-bbo] [뽀]
자유 [**j**ayu] liberté		젖오 [jŏ-**j**o] [조]	젖소 [jŏ**t**-sso] [쏘]
지구 [**j**igu] la Terre		젖이 [jŏ-ji] [지]	젖지 [jŏ**t**-jji] [찌]
저울 [**j**ŏul] balance			

Se référer au tableau : même si la consonne finale est prononcée "t", elle sonne "j" lorsqu'elle est suivie par une voyelle.

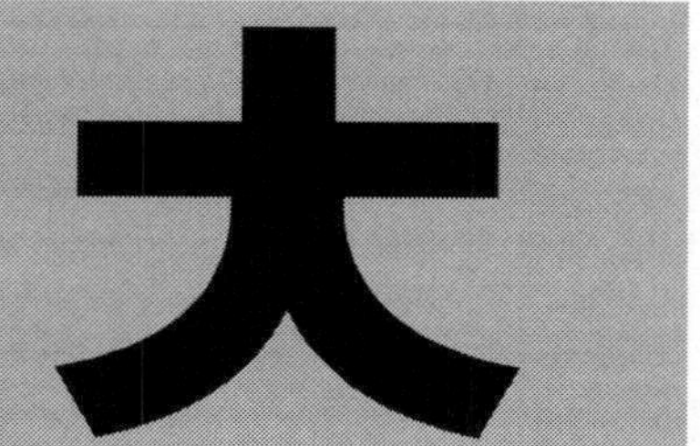

CONSONNE #10

치읓 (chi-ŭt)

Son consonne initiale 'ch' 차비 [**ch**abi] frais de transport
Son consonne finale 't' 꽃 [kko**t**] flower

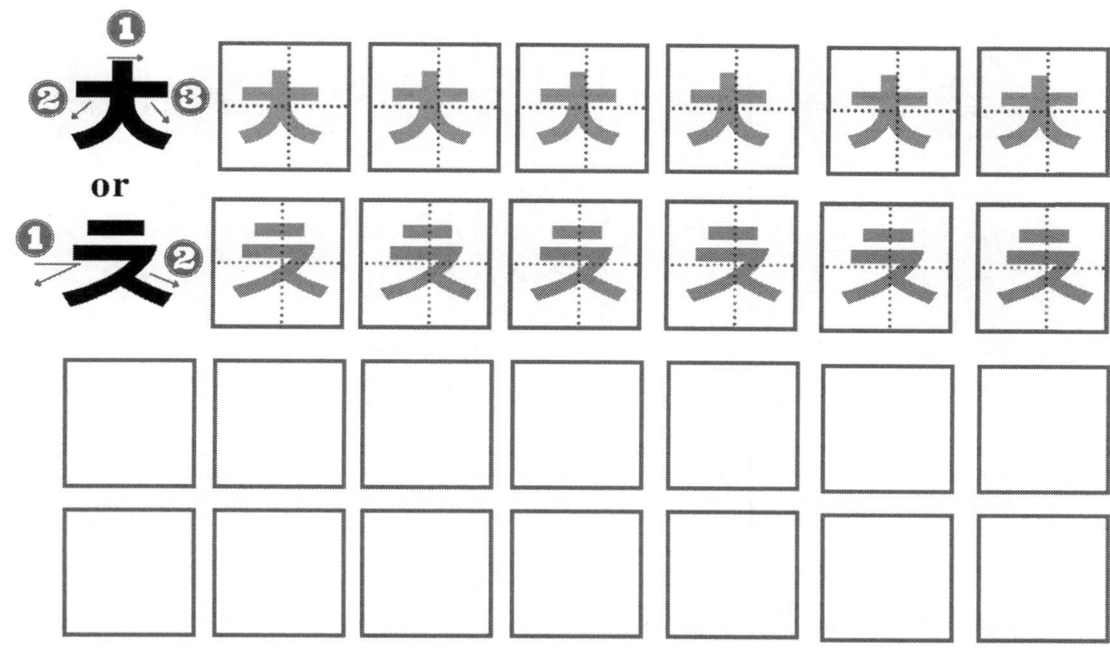

Son consonne initiale 'ch'	Son consonne finale 't'	Lorsque suivie par une voyelle	Influence sur la consonne qui suit
초록 [**ch**orok] vert	빛 [bi**t**] lumière	빛아 [bi-**cha**] [**차**]	빛고 [bi**t**-kko] [**꼬**]
추가 [**ch**uga] ajout	낯 [na**t**] visage	빛을 [bi-**chŭ**l] [**츨**]	빛다 [bi**t**-dda] [**따**]
채도 [**ch**aedo] saturation	숯 [su**t**] charbon	빛우 [bi-**ch**u] [**추**]	빛보 [bi**t**-bbo] [**뽀**]
차도 [**ch**ado] route	돛 [do**t**] voile	빛오 [bi-**ch**o] [**초**]	빛소 [bi**t**-sso] [**쏘**]
치아 [**ch**ia] dent		빛이 [bi-**ch**i] [**치**]	빛지 [bi**t**-jji] [**찌**]
처리 [**ch**ŏri] régler			

Se référer au tableau : même si la consonne finale est prononcée "t", elle sonne "ch" lorsqu'elle est suivie par une voyelle.

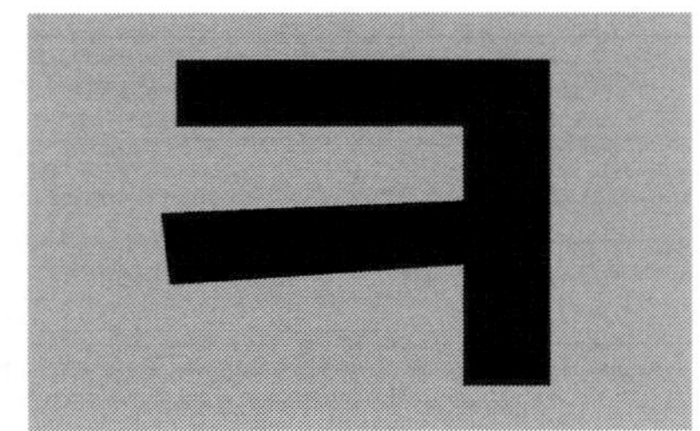

CONSONNE #11

키읔 (ki-ŭk)

Son consonne initiale 'k' 쿠키 [**k**uki] cookie
Son consonne finale 'k' 부엌[buŏ**k**] cuisine

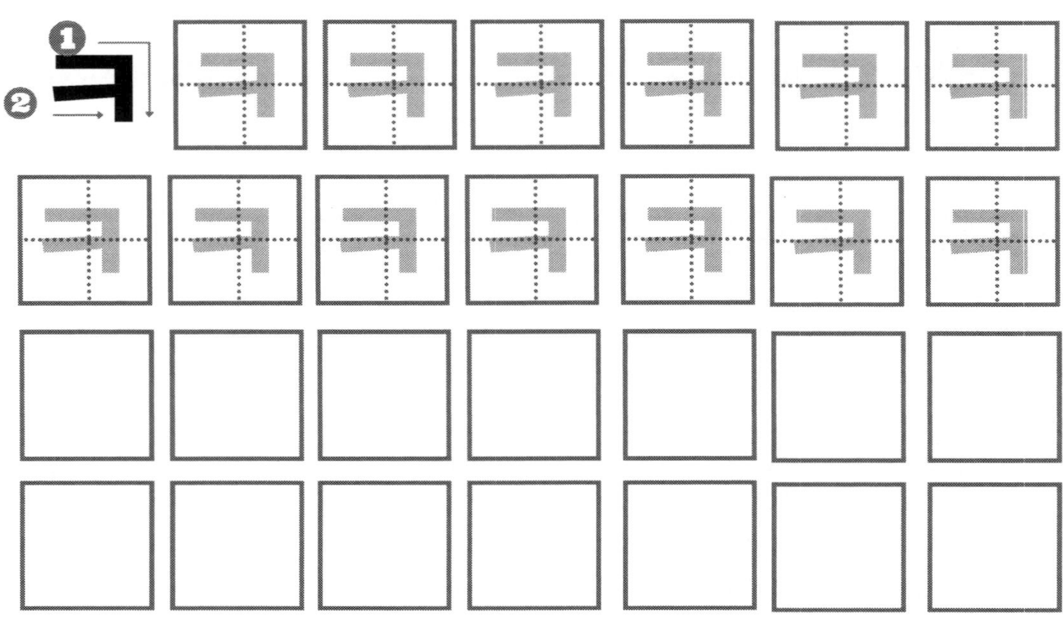

Son consonne initiale 'k'	Son consonne finale 'k'	Lorsque suivie par une voyelle	Influence sur la consonne qui suit
코골이 [**k**ogori] ronflement	부**엌** [buŏ**k**] cuisine	부엌**아** [buŏ-**ka**] [**카**]	부엌**고** [buŏ**k**-kko] [**꼬**]
쿠바 [**k**uba] Cuba	남**녘** [namnyŏ**k**] côté sud	부엌**을** [buŏ-**kŭl**] [**클**]	부엌**다** [buŏ**k**-dda] [**따**]
캐나다 [**k**aenada] Canada		부엌**우** [buŏ-**ku**] [**쿠**]	부엌**보** [buŏ**k**-bbo] [**뽀**]
카메라 [**k**amera] caméra	Les mots se terminant par un "ㅋ" batchim sont très rares.	부엌**오** [buŏ-**ko**] [**코**]	부엌**소** [buŏ**k**-sso] [**쏘**]
키우다 [**k**iuda] accroître		부엌**이** [buŏ-**ki**] [**키**]	부엌**지** [buŏ**k**-jji] [**찌**]
커피 [**k**ŏpi] café			

CONSONNE #12

티읕 (ti-ŭt)

Son consonne initiale 't' 토끼 [tokki] lapin
Son consonne finale 't' 솥 [sot] chaudron

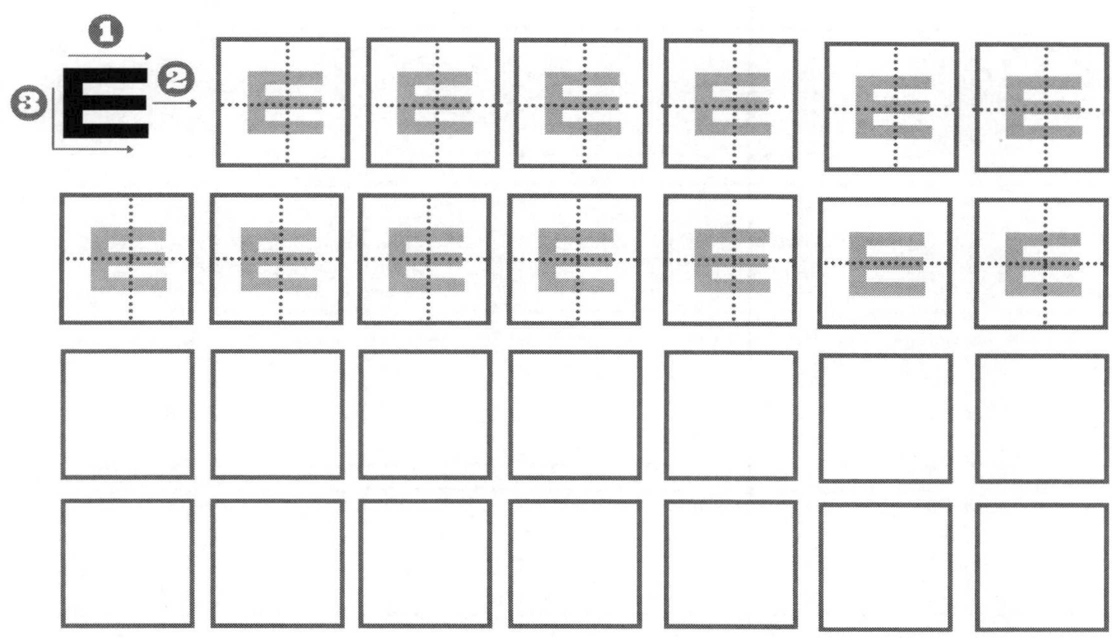

Son consonne initiale 't'	Son consonne finale 't'	Lorsque suivie par une voyelle	Influence sur la consonne qui suit
토기 [**t**ogi] faïence	겉 [gŏ**t**] surface	겉아 [gŏ-**t**a] [**타**]	겉고 [gŏ**t**-<u>kk</u>o] [**꼬**]
투수 [**t**usu] lanceur	끝 [kkŭ**t**] fin	겉을 [gŏ-**t**ŭl] [**틀**]	겉다 [gŏ**t**-<u>dd</u>a] [**따**]
태도 [**t**aedo] attitude	밭 [ba**t**] champ	겉우 [gŏ-**t**u] [**투**]	겉보 [gŏ**t**-<u>bb</u>o] [**뽀**]
타조 [**t**ajo] autruche	팥 [pa**t**] haricots rouges	겉오 [gŏ-**t**o] [**토**]	겉소 [gŏ**t**-<u>ss</u>o] [**쏘**]
티끌 [**t**ikkŭl] poussière	밑 [mi**t**] dessous	겉이 [gŏ-**ch**i] [**치**] !	겉지 [gŏ**t**-<u>jj</u>i] [**찌**]
터키 [**t**ŏki] Turquie			

CONSONNE #13

피읖 (pi-ŭp)

Son consonne initiale 'p' 파도 [**p**ado] vague (de la m
Son consonne finale 'p' 풀잎 [puli**p**] brin d'herbe

Son consonne initiale 'p'	Son consonne finale 'p'	Lorsque suivie par une voyelle	Influence sur la consonne qui suit
포화 [**p**ohwa] saturation	무릎 [murŭ**p**] genoux	잎**아** [i-pa] [**파**]	잎**고** [ip-kko] [**꼬**]
푸름 [**p**urŭm] bleu	앞 [a**p**] tête	잎**을** [i-pŭl] [**플**]	잎**다** [ip-dda] [**따**]
패배 [**p**aebae] défaite	헝겊 [hŏnggŏ**p**] pièce de tissu	잎**우** [i-pu] [**푸**]	잎**보** [ip-bbo] [**뽀**]
파괴 [**p**agoe] destruction	**잎** [i**p**] feuille	잎**오** [i-po] [**포**]	잎**소** [ip-sso] [**쏘**]
피구 [**p**igu] ballon chasseur		잎**이** [i-pi] [**피**]	잎**지** [ip-jji] [**찌**]
퍼짐 [**p**ŏjim] diffusion			

CONSONNE #14

히읗 (hi-ŭt)

Son consonne initiale 'h' 하마 [**h**ama] hippopotame
Son consonne finale 't' 닿다 [da**t**-dda] atteindre

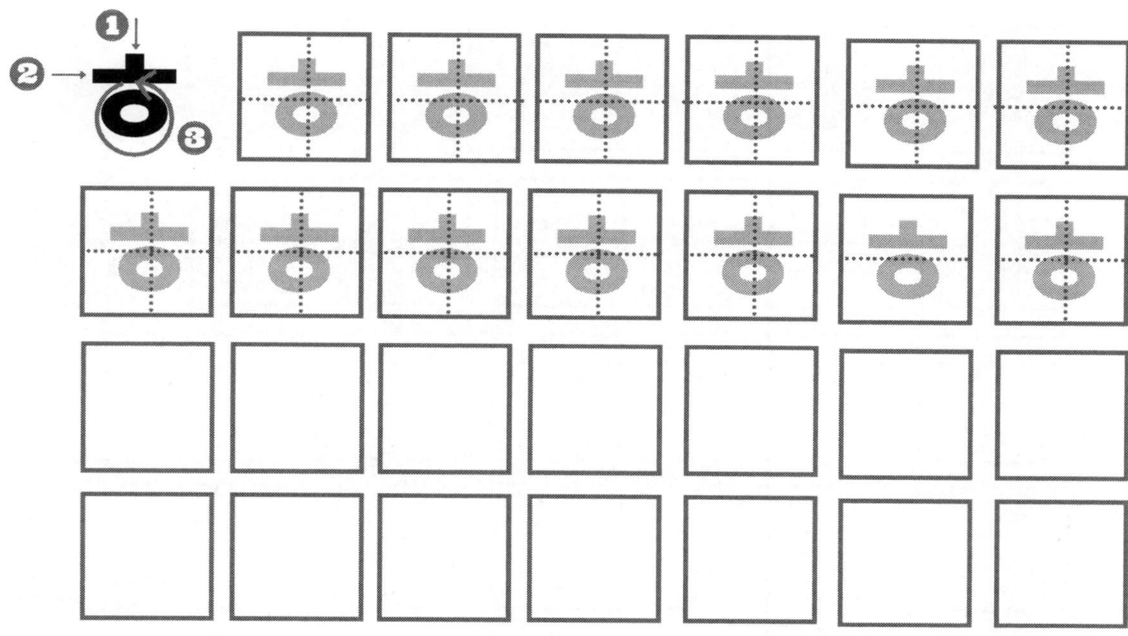

Son consonne initiale 'h'	Son consonne finale 't'	Lorsque suivie par une voyelle	Influence sur la consonne qui suit
호박 [**h**obak] citrouille	빻다 [bba**t**-ta] piler	닿아 [da-**a**] [아]	닿고 [da**t**-kko] [꼬]
후추 [**h**uchu] poivre	낳다 [na**t**-ta] enfanter	닿을 [da-**ŭ**l] [을]	닿다 [da**t**-dda] [따]
해안 [**h**aean] côte	놓다 [no**t**-ta] lâcher	닿우 [da-**u**] [우]	닿보 [da**t**-bbo] [뽀]
하늘 [**h**anŭl] ciel	하얗다 [haya**t**-ta] être blanc	닿오 [da-**o**] [오]	닿소 [da**t**-sso] [쏘]
히잡 [**h**ijap] hijab	__ Indique la consonne affectée.	닿이 [da-**i**] [이]	닿지 [da**t**-jji] [찌]
허리 [**h**ŏri] taille			

Se référer au tableau : même si la consonne finale est prononcée "t", elle sonne "son muet" lorsqu'elle est suivie par une voyelle.

CONSONNE #15

쌍기역 (ssang gi-yŏk)

Son consonne initiale 'kk' 꿀 [**kk**ul] miel
Son consonne finale 'k' 깍다 [kka**k**-dda] tondre

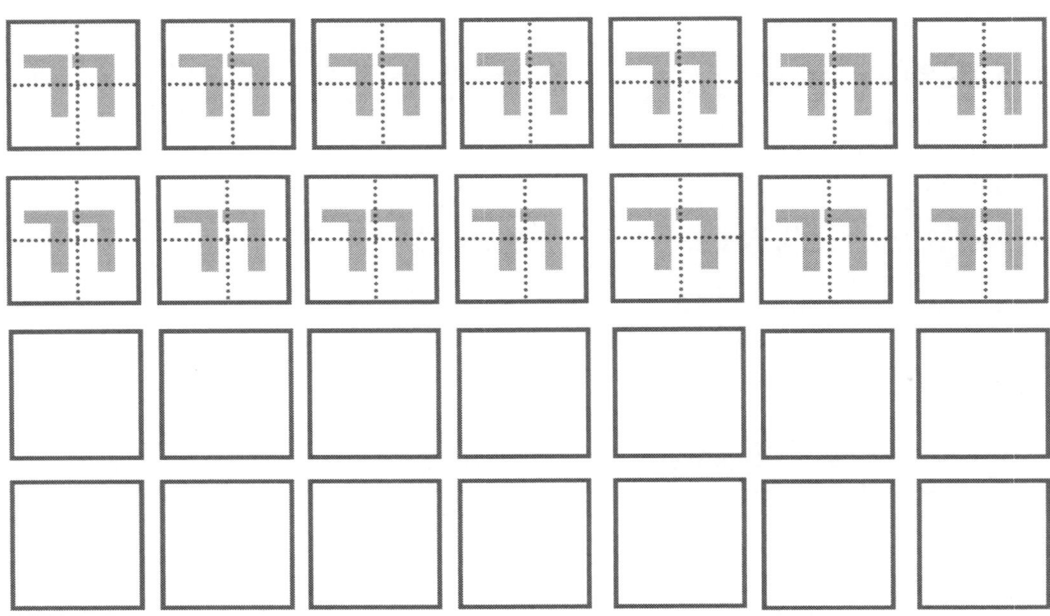

Son consonne initiale 'kk'	Son consonne finale 'k'	Lorsque suivie par une voyelle	Influence sur la consonne qui suit
꼬마 [**kk**oma] lardon	**꺾**다 [kkŏ**k**-dda] rompre	**꺾어** [kkŏk-**kk**ŏ] [**꺼**]	**꺾다** [kkŏk-**dd**a] [**따**]
꾸중 [**kk**ujung] réprimande	**엮**다 [yŏ**k**-dda] natter	**엮어** [yŏk-**kk**ŏ] [**꺼**]	**엮다** [yŏk-**dd**a] [**따**]
깨 [**kk**ae] sésame	**깎**다 [kka**k**-dda] tondre	**깎아** [kka-**kk**a] [**까**]	**깎다** [kka-**dd**a] [**따**]
까마귀 [**kk**amagwi] corbeau	**낚**시 [na**k**-ssi] hameçon	**낚아** [nak-**kk**a] [**까**]	**낚시** [nak-**ss**i] [**씨**]
끼니 [**kk**ini] repas			
꺼내다 [**kk**ŏnaeda] puiser			

CONSONNE #16

쌍디귿 (ssang di-gŭt)

Son consonne initiale 'dd' 따귀 [**dd**agwi] joue
SON CONSONNE FINALE NON APPLICABLE

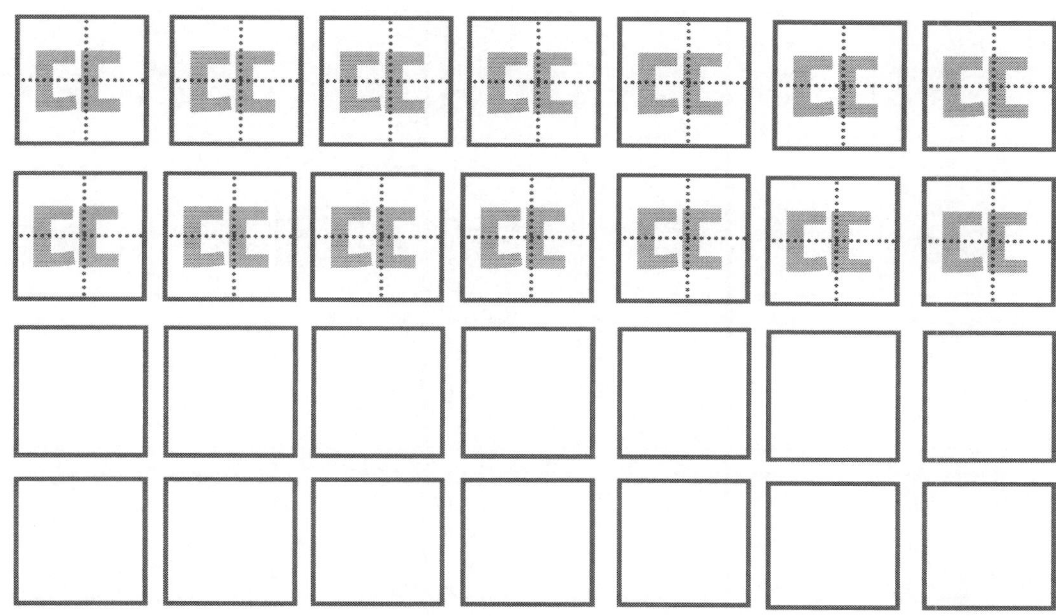

Son consonne initiale 'dd'	Son consonne finale	Lorsque suivie par une voyelle	Influence sur la consonne qui suit
또 [**dd**o] encore **뚜**껑 [**dd**ukkŏng] couvercle **때** [**dd**ae] moment **따**귀 [**dd**agwi] joue **띠** [**tt**i] cordon **떠**돌이 [**tt**ŏdori] vagabond(e)	Techniquement, ça devrait être prononcé comme "ㄷ" batchim (t), mais il n'y a pas de mots en coréen qui utilise "ㄸ" comme batchim.	Techniquement, ça devrait être prononcé comme "ㄷ" batchim (t), mais il n'y a pas de mots en coréen qui utilise "ㄸ" comme batchim.	Techniquement, ça devrait être prononcé comme "ㄷ" batchim (t), cela aurait alors affecté la consonne qui suit comme "ㄷ" (t) l'aurait fait.

CONSONNE #17

쌍비읍 (ssang bi-ŭp)

Son consonne initiale 'bb' 뿔 [**bb**ul] corne
SON CONSONNE FINALE NON APPLICABLE

Son consonne initiale 'bb'	Son consonne finale	Lorsque suivie par une voyelle	Influence sur la consonne qui suit
뽀뽀 [**bb**o**bb**o] bisou **뿌리** [**bb**uri] racine **빼기** [**bb**aegi] soustraction **뼈** [**bb**yŏ] os	Techniquement, ça devrait être prononcé comme "ㅂ" batchim (p), mais il n'y a pas de mots en coréen qui utilise "ㅃ" comme batchim.	Techniquement, ça devrait être prononcé comme "ㅂ" batchim (p), mais il n'y a pas de mots en coréen qui utilise "ㅃ" comme batchim.	Techniquement, ça devrait être prononcé comme "ㅂ" batchim (p), cela aurait alors affecté la consonne qui suit comme "ㅂ" (p) l'aurait fait.

CONSONNE #18

쌍시옷 (ssang si-ot)

Son consonne initiale 'ss' 씨 [**ss**i] semence
Son consonne finale 't' 있다 [i**t**-dda] être

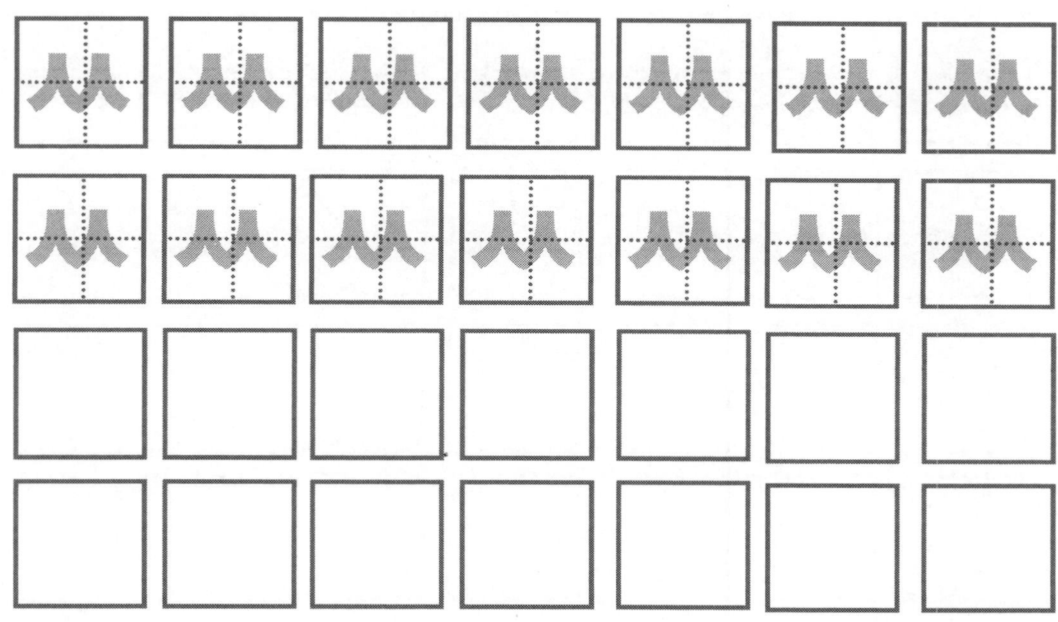

Son consonne initiale 'ss'	Son consonne finale 't'	Lorsque suivie par une voyelle	Influence sur la consonne qui suit
싹 [ssak] bouton	했다 [hae**t**-<u>dd</u>a] (Je) l'ai fait.	했아 [hae-ssa] [싸]	했고 [hae**t**-<u>kk</u>o] [꼬]
쑥 [ssuk] armoise	갔다 [ga**t**-<u>dd</u>a] (Je) suis parti.	했을 [hae-ssŭl] [쓸]	했다 [hae**t**-<u>dd</u>a] [따]
싸움 [ssaum] conflit	봤다 [bwa**t**-<u>dd</u>a] (Je) l'ai vu.	했우 [hae-ssu] [쑤]	했보 [hae**t**-<u>bb</u>o] [뽀]
쏘다 [ssoda] lâcher	__ Indique la consonne affectée.	했오 [hae-sso] [쏘]	했소 [hae**t**-<u>ss</u>o] [쏘]
씨름 [ssirŭm] lutte coréenne		했이 [hae-ssi] [씨]	했지 [hae**t**-<u>jj</u>i] [찌]

Se référer au tableau : même si la consonne finale est prononcée "t", elle sonne "ss" lorsqu'elle est suivie par une voyelle.

CONSONNE #19

쌍지읒 (ssang ji-ŭt)

Son consonne initiale 'jj' 쪽 [**jj**ok] page
SON CONSONNE FINALE NON APPLICABLE

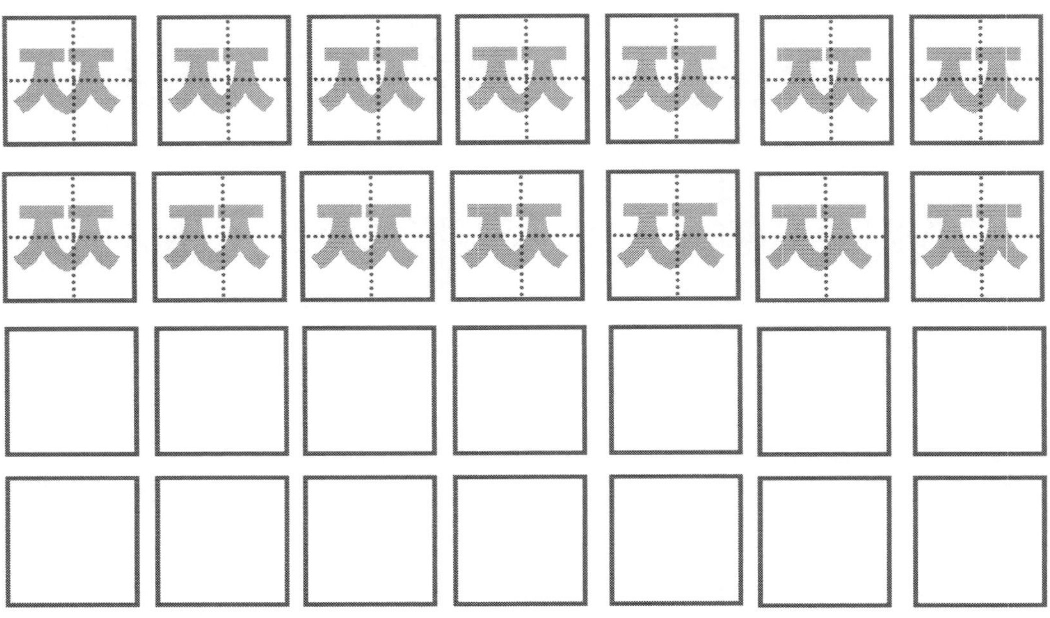

Son consonne initiale 'jj'	Son consonne finale	Lorsque suivie par une voyelle	Influence sur la consonne qui suit
짜장면 [**jj**ajangmyŏn] nouilles coréennes à la sauce noire **짬** [**jj**am] interstice **찜** [**jj**im] étouffée **짝** [**jj**ak] partenaire **찌개** [**jj**igae] ragoût	Techniquement, ça devrait être prononcé comme "ㅈ" batchim (t), mais il n'y a pas de mots en coréen qui utilise "ㅉ" comme batchim.	Techniquement, ça devrait être prononcé comme "ㅈ" batchim (t), mais il n'y a pas de mots en coréen qui utilise "ㅉ" comme batchim.	Techniquement, ça devrait être prononcé comme "ㅈ" batchim (t), cela aurait alors affecté la consonne qui suit comme "ㅈ" (t) l'aurait fait.

VOYELLE #1

TYPE : CÔTÉ DROIT

(a) Approximation en anglais - P**a**pa
Exemple en coréen 자두 [j**a**du] prune

① ㅏ ②	ㅏ	ㅏ	ㅏ	ㅏ		
아	아	아	아	아		
악	악	악	악	악		
안	안	안	안	안		
앎	앎	앎	앎	앎		

VOYELLE #2

TYPE : CÔTÉ DROIT

Approximation en anglais - See **ya**!
Exemple en coréen 야구 [**ya**gu] base-ball **(ya)**

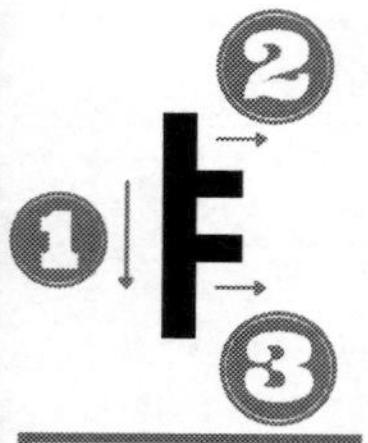

① ㅑ ② ③	ㅑ	ㅑ	ㅑ	ㅑ		
야	야	야	야	야		
약	약	약	약	약		
얀	얀	얀	얀	얀		
얇	얇	얇	얇	얇		

ㅓ

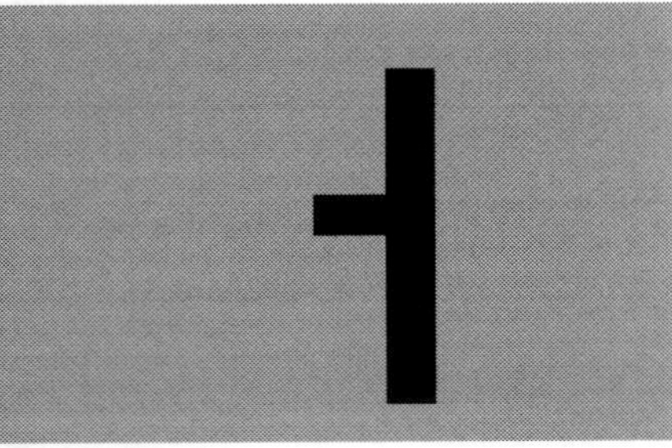

VOYELLE #3

TYPE : CÔTÉ DROIT

(ŏ) Approximation en anglais - **u**p
Exemple en coréen **접시** [jŏpsi] assiette

①→ㅓ②↓	ㅓ	ㅓ	ㅓ	ㅓ			
어	어	어	어	어			
억	억	억	억	억			
언	언	언	언	언			
없	없	없	없	없			

VOYELLE #4

TYPE : CÔTÉ DROIT

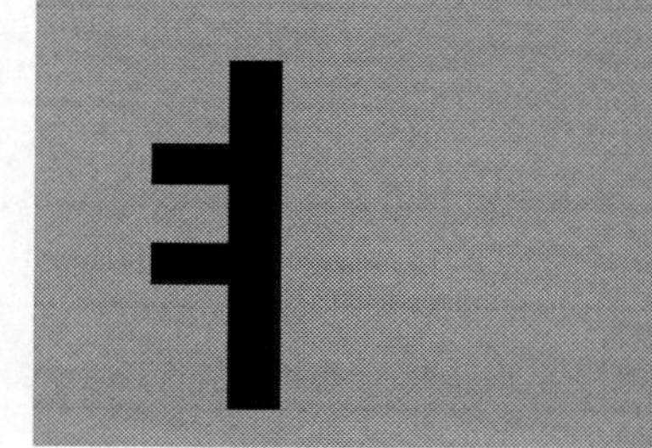

Approximation en anglais - **you**ng
Exemple en coréen **영**화[y**ŏ**nghwa] film

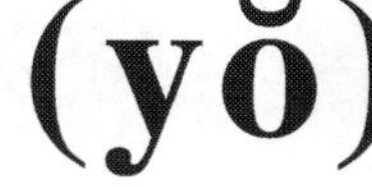

ㅕ ① ② ③

ㅕ	ㅕ	ㅕ	ㅕ	ㅕ		
여	여	여	여	여		
역	역	역	역	역		
연	연	연	연	연		
엷	엷	엷	엷	엷		

VOYELLE #5

TYPE : DESSOUS

(o) Approximation en anglais - **o**ver
Exemple en coréen 오리 [**o**ri] canard

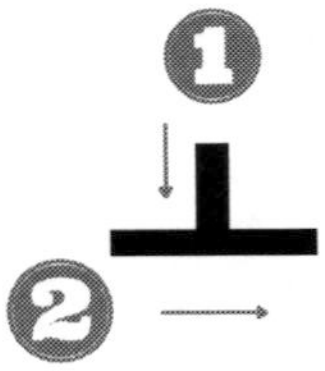

ㅗ	ㅗ	ㅗ	ㅗ	ㅗ		
오	오	오	오	오		
옥	옥	옥	옥	옥		
온	온	온	온	온		
옭	옭	옭	옭	옭		

VOYELLE #6

TYPE : DESSOUS

Approximation en anglais - **yo**gurt
Exemple en coréen 요리 [**yo**ri] cuisine

❶ ❷ ㅛ ❸	ㅛ	ㅛ	ㅛ	ㅛ		
요	요	요	요	요		
욕	욕	욕	욕	욕		
욘	욘	욘	욘	욘		
욨	욨	욨	욨	욨		

VOYELLE #7

TYPE : DESSOUS

(u) Approximation en anglais - r**oo**t
Exemple en coréen 자두 [jad**u**] prune

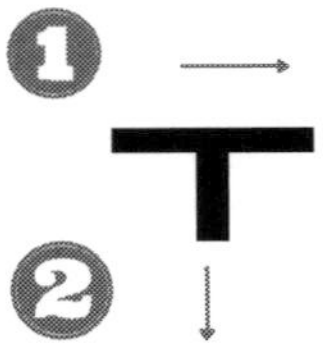

① ② ㅜ	ㅜ	ㅜ	ㅜ	ㅜ		
우	우	우	우	우		
욱	욱	욱	욱	욱		
운	운	운	운	운		
욹	욹	욹	욹	욹		

VOYELLE #8

TYPE : DESSOUS

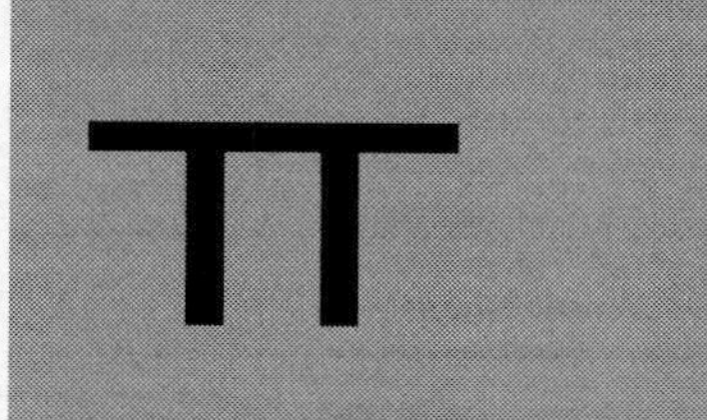

Approximation en anglais - **you**
Exemple en coréen 소유 [so**yu**] possession **(yu)**

VOYELLE #9

TYPE : DESSOUS

(a) Approximation en anglais - g**oo**d
Exemple en coréen 그림 [g**ŭ**rim] peinture

① ㅡ	ㅡ	ㅡ	ㅡ	ㅡ		
으	으	으	으	으		
윽	윽	윽	윽	윽		
은	은	은	은	은		
읊	읊	읊	읊	읊		

VOYELLE #10

TYPE : CÔTÉ DROIT

ㅣ

Approximation en anglais - h**i**t
Exemple en coréen 소**리** [sor**i**] son

(i)

① ㅣ	ㅣ	ㅣ	ㅣ	ㅣ		
이	이	이	이	이		
익	익	익	익	익		
인	인	인	인	인		
읽	읽	읽	읽	읽		

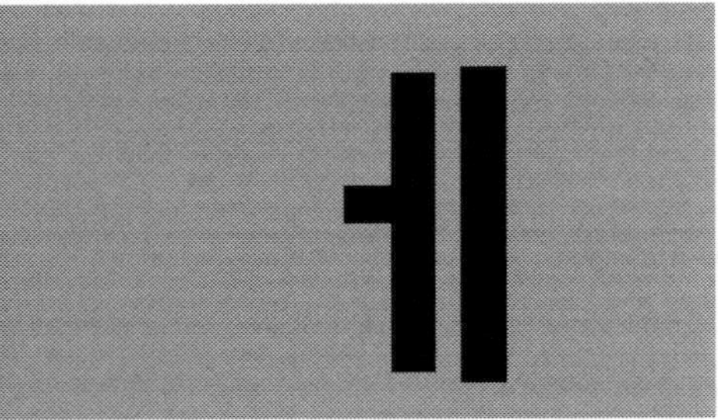

VOYELLE #11

TYPE : CÔTÉ DROIT

(e) Approximation en anglais - **e**nergy
Exemple en coréen **세**기 [s**e**gi] force

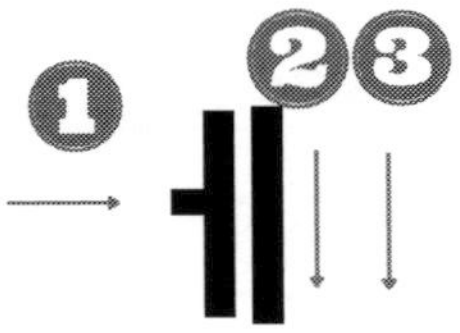

ㅔ	ㅔ	ㅔ	ㅔ	ㅔ		
	에	에	에	에	에		
	엑	엑	엑	엑	엑		
	엔	엔	엔	엔	엔		
	엤	엤	엤	엤	엤		

VOYELLE #12

TYPE : CÔTÉ DROIT

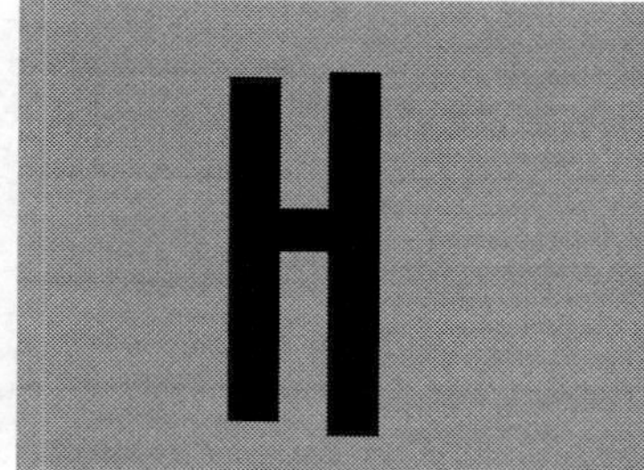

ㅐ

Approximation en anglais - t**a**ble
Exemple en coréen 애기 [**ae**gi] bébé

(ae)

① ② ③ ㅐ	ㅐ	ㅐ	ㅐ	ㅐ		
애	애	애	애	애		
액	액	액	액	액		
앤	앤	앤	앤	앤		
앴	앴	앴	앴	앴		

VOYELLE #13

TYPE : CÔTÉ DROIT

(ye) Approximation en anglais - **ye**s
Exemple en coréen **예**술 [**ye**sul] art

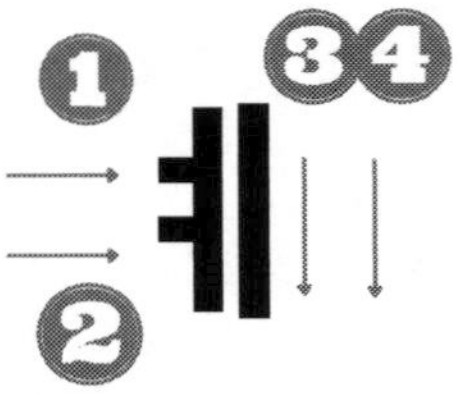

1 2 3 4 ㅖ

	ㅖ	ㅖ	ㅖ	ㅖ		
예	예	예	예	예		
옉	옉	옉	옉	옉		
옌	옌	옌	옌	옌		
옜	옜	옜	옜	옜		

VOYELLE #14

TYPE : CÔTÉ DROIT

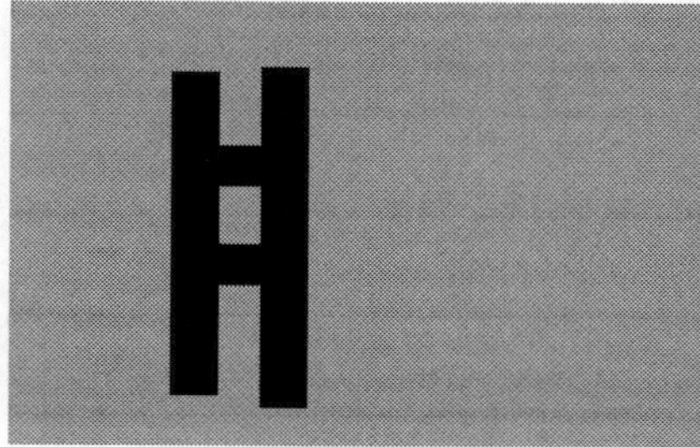

(yae)

Approximation en anglais - **ye**s
Exemple en coréen 얘기 [**yae**gi] story

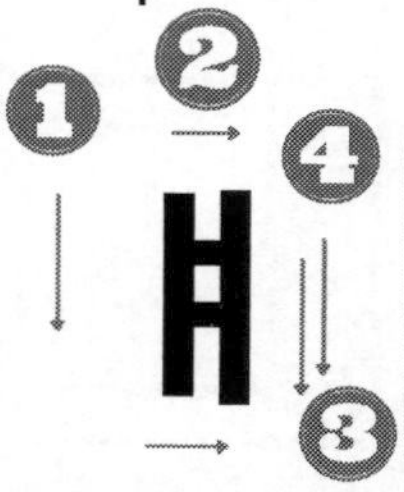

ㅒ

ㅒ	ㅒ	ㅒ	ㅒ		

얘	얘	얘	얘	얘		
얙	얙	얙	얙	얙		
얜	얜	얜	얜	얜		
얬	얬	얬	얬	얬		

VOYELLE #15

TYPE : COMBINAISON DROITE / DESSOUS

(wa) Approximation en angldis - **wha**t
Exemple en coréen 과일 [g**wa**il] fruit

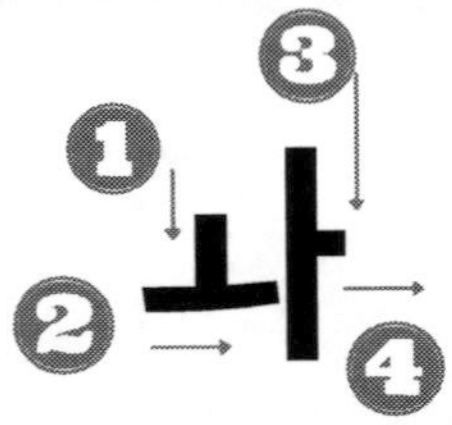

ㅘ	ㅘ	ㅘ	ㅘ	ㅘ		
와	와	와	와	와		
왁	왁	왁	왁	왁		
완	완	완	완	완		
왉	왉	왉	왉	왉		

VOYELLE #16

TYPE : COMBINAISON DROITE / DESSOUS

ㅝ

(wŏ)

Approximation en anglais - **wo**nder
Exemple en coréen 권투 [g**wo**ntu] boxe

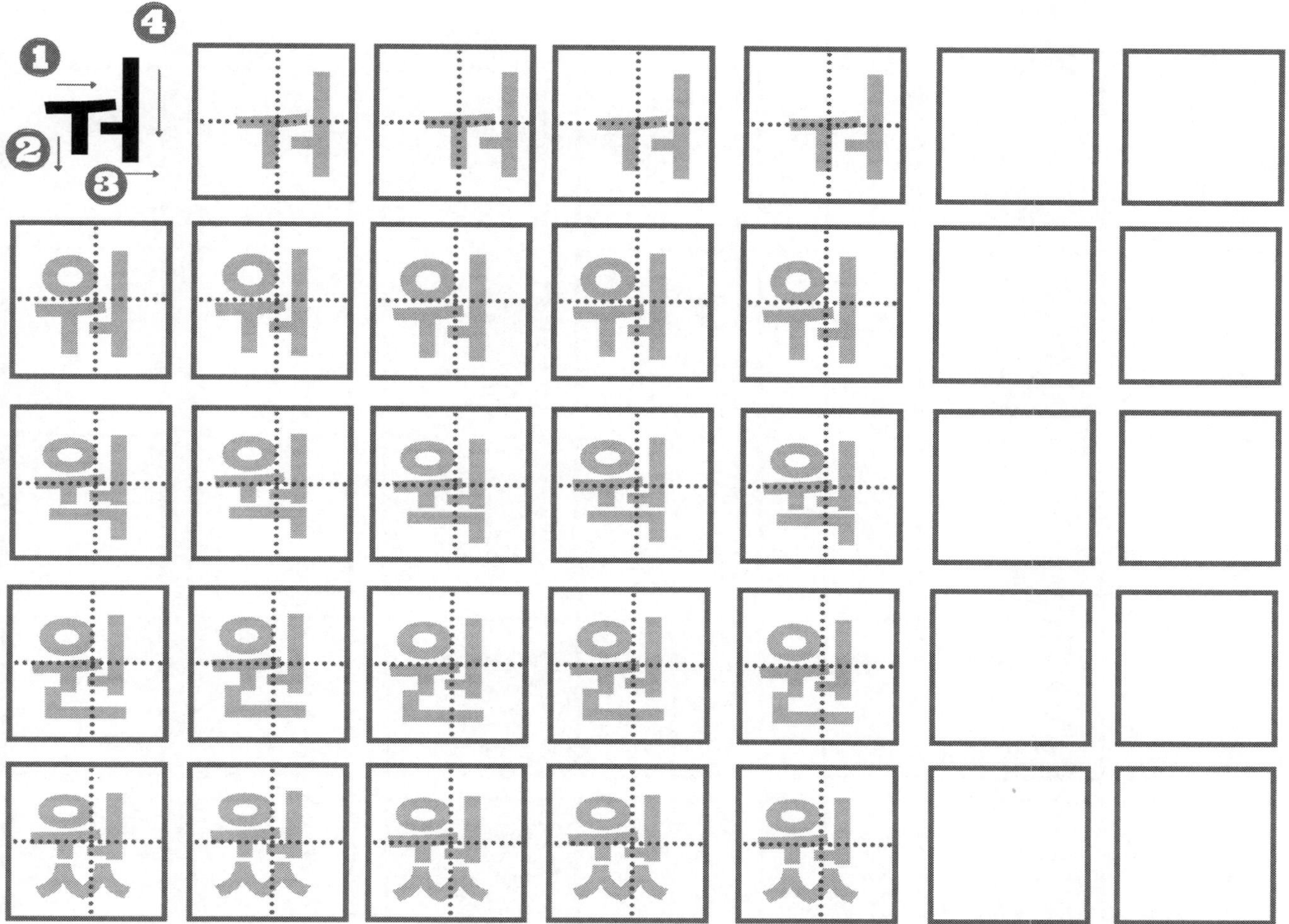

VOYELLE #17

TYPE : COMBINAISON DROITE / DESSOUS

(ŭi) Approximation en anglais - We
Exemple en coréen **의자** [**ŭi**ja] chaise

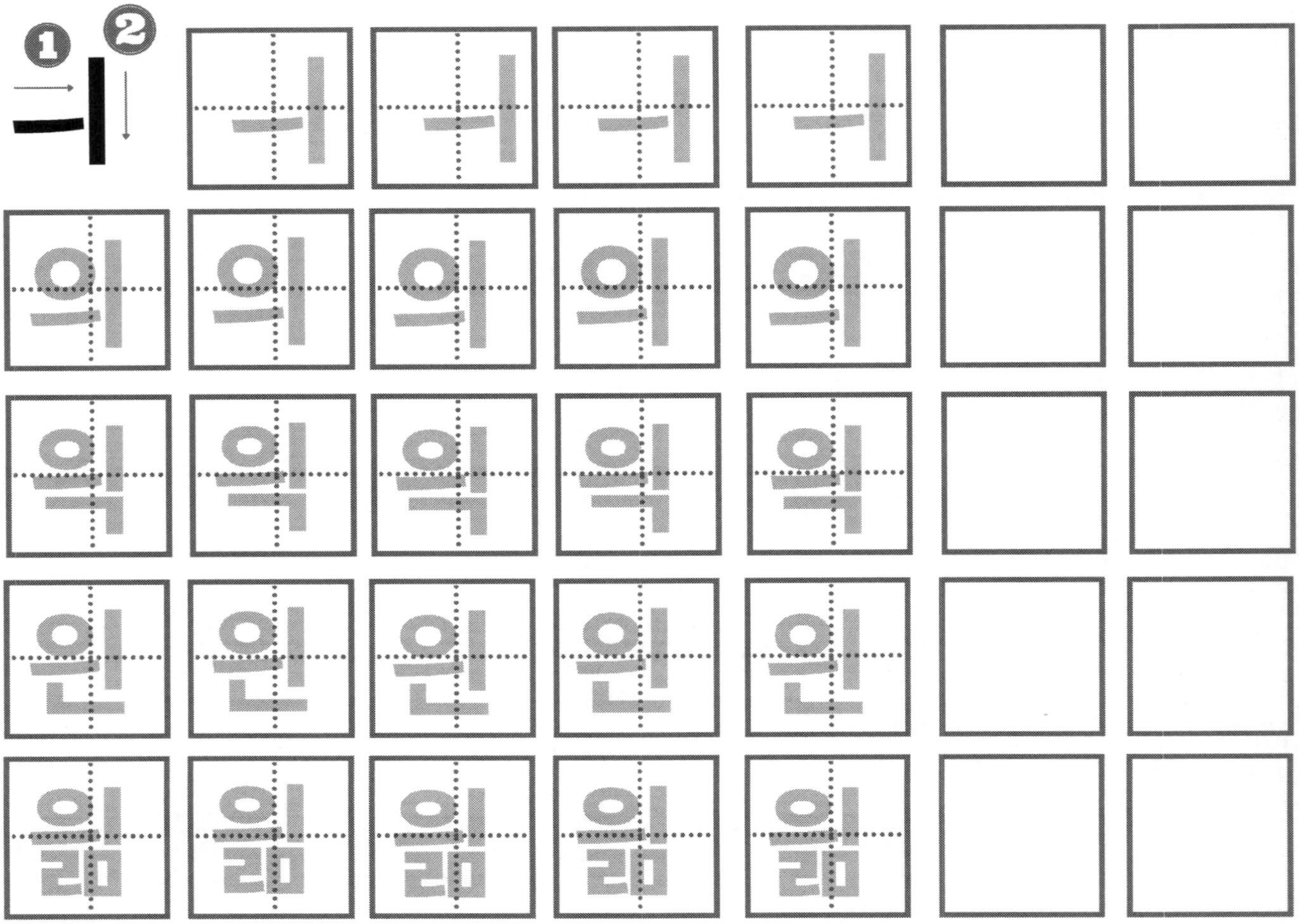

ㅢ	ㅢ	ㅢ	ㅢ	ㅢ		
의	의	의	의	의		
윽	윽	윽	윽	윽		
읜	읜	읜	읜	읜		
읪	읪	읪	읪	읪		

VOYELLE #18

TYPE : COMBINAISON DROITE / DESSOUS

Approximation en anglais - **wet**
Exemple en coréen 최고 [ch**oe**go] meilleur **(oe)**

Alors que "ㅚ" est "ㅗ" + "ㅣ", donc "oi" semble correct quand on suit les règles, mais c'est prononcé "oe" et ce n'est pas considéré comme une "double voyelle" non plus.

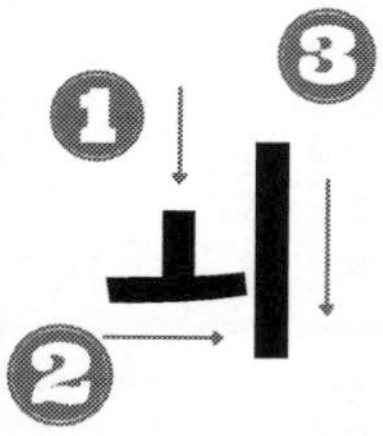

1 2 3 ㅚ	ㅚ	ㅚ	ㅚ	ㅚ		
외	외	외	외	외		
왹	왹	왹	왹	왹		
왼	왼	왼	왼	왼		
욃	욃	욃	욃	욃		

ㅞ

VOYELLE #19

TYPE : COMBINAISON DROITE / DESSOUS

(we) Approximation en anglais - q**ue**st
Exemple en coréen 훼손 [h**we**son] dommag

VOYELLE #20

TYPE : COMBINAISON DROITE / DESSOUS

Approximation en anglais - **whe**re
Exemple en coréen 안돼 [and**wae**] "ne peut pas"

(wae)

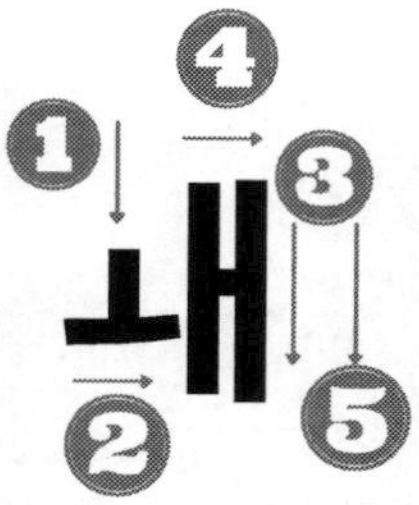

ㅙ	ㅙ	ㅙ	ㅙ	ㅙ		
왜	왜	왜	왜	왜		
왝	왝	왝	왝	왝		
왠	왠	왠	왠	왠		
왰	왰	왰	왰	왰		

LA STRUCTURE D'UNE PHRASE

Comme vous allez le voir, les phrases coréennes sont structurées dans l'ordre suivant. Cela peut paraître bizarre pour le moment, mais vous allez vous y habituer au fur et à mesure que nous nous entraînerons plus.

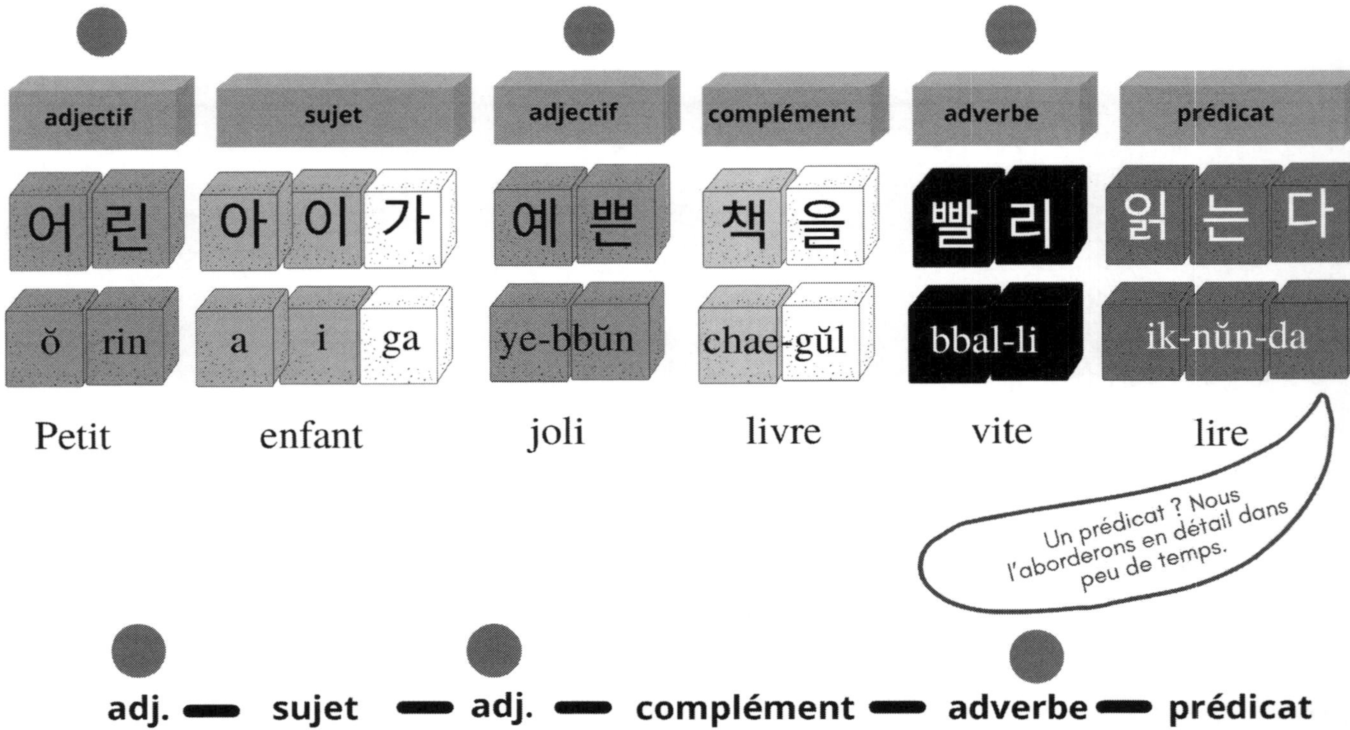

adj. — sujet — adj. — complément — adverbe — prédicat

Les points indiquent qu'ils ne sont pas essentiels pour que la phrase ait un sens. C'est-à-dire que le sujet/complément/prédicat sont les seuls éléments nécessaires pour qu'une phrase ait un sens.

아이가 책을 읽는다 = L'enfant lit un livre.

Une chose que vous avez peut-être remarquée est que "는" vient tout de suite après le sujet et "를" vient tout de suite après le complément. Nous les avons laissés non colorés exprès !
Vous voyez qu'il n'y a pas de traduction pour eux. C'est parce qu'il n'y a pas de mot qui leur correspondent directement.

En un sens, ils sont similaires au concept de l'article défini/indéfini de la grammaire française, quelque chose que l'on ne peut pas traduire en coréen, et vous pouvez toujours comprendre le sens d'une phrase sans eux.

LE MARQUEUR DE SUJET - 이/가

Le marqueur du sujet vient après le sujet pour **indiquer qui/quoi est le sujet de la phrase.** En voici un autre utilisant le même exemple :

무엇**이** 높아요? mu-ŏ-**si** no-pa-yo?] Qu'est-ce qui **est** haut ?

하늘**이** 높아요. [ha-nŭ-**ri** no-pa-yo] **(C'est)** le ciel, **qui est** haut.

Comme vous pouvez le voir, "이" est utilisé quand on indique qui/quoi est le sujet dans une phrase donnée.

●●●●●●●●●●●●●●●●●●●●●●●●●●●●●●●●●●●●●●●

누가 학생인가요? **[nu-ga** hak-saeng-in-ga-yo?] **Qui** est élève ?

그녀**가** 학생입니다. [gŭ-nyŏ-**ga** hak-saeng-ip-ni-da.] **(C'est)** elle, **qui est** élève.

Encore, "가" est utilisé quand on parle d'une action/description (qui et élève) du sujet.

Maintenant, supposons que vous avez répondu avec un marqueur de thème "는" de la page précédente pour la question ci-dessus.

그녀는 학생입니다. [gŭ-nyŏ-nŭn hak-saeng-ip-ni-da.] (Quant à) elle, elle est élève.

Cela n'a tout simplement pas de sens, n'est-ce pas ? La question fait référence à quoi/qui est le sujet, mais la réponse indique sa description (c'est-à-dire "élève").

●●●●●●●●●●●●●●●●●●●●●●●●●●●●●●●●●●●●●●●

Lequel utiliser ? "가" après un mot se terminant par une voyelle (c'est-à-dire sans batchim) et "이" après un mot se terminant par une consonne finale (c'est-à-dire un batchim).

LE MARQUEUR DE THÈME - 은/는

De manière similaire, le rôle principal pour un marqueur de thème est d'**indiquer ce dont on parle**. En d'autres termes, il se concentre sur l'**action/description** du sujet. Bien qu'il n'y ait pas de traduction directe vous pouvez le voir comme "quant à".

하늘은 <u>어때요</u>**?** [Ha-nŭl-**ŭn** <u>ŏ-ddae-yo</u>?] (**Quant au**) ciel, <u>comment</u> est-il ?

하늘은 <u>높다</u>. [Ha-nŭl-**ŭn** <u>nop-da</u>] (**Quant au**) ciel, il est <u>haut</u>.

Comme vous pouvez le voir, "은" est utilisé lorsque l'on parle d'une action/description (comment et haut) du sujet.

••

그녀는 <u>무엇</u>인가요**?** [gŭ-nyŏ-**nŭn** <u>mu-ŏ</u>-sin-ga-yo?] (**Quant à**) elle, <u>qu</u>'est-ce qu'elle est ?

그녀는 <u>학생</u>입니다. [gŭ-nyŏ-**nŭn** <u>hak-saeng</u>-ip-ni-da.] (**Quant à**) elle, elle est <u>élève</u>.

Encore, "는" est utilisé quand on parle d'une action/description (qui et élève) du sujet.

••

Lequel utiliser ? "은" après un mot se terminant par une voyelle (c'est-à-dire sans batchim) et "는" après un mot se terminant par une consonne finale (c'est-à-dire un batchim).

QUIZ D'ENTRAÎNEMENT

Maintenant identifiez le SUJET et le COMPLÉMENT dans les phrases suivantes.
Utilisons un cercle pour le sujet et un triangle pour le complément.

강아지가 하늘을 본다.
Un chiot est en train de regarder le ciel.

귀여운 아이가 차가운 물을 마신다
Un enfant mignon boit de l'eau froide.

배고픈 사람이 라면을 먹었다.
Une personne affamée mangea un ramen.

늙은 할아버지가 어린 손자를 보았다.
Un vieux grand-père regarda son jeune petit-fils.

Un élève vif d'esprit comme vous avez dû remarquer que ce qui est suivi par "이/가" est le sujet et "을/를" est complément !

bonne réponse :
sujet 강아지 complément 하늘
sujet 아이 complément 물
sujet 사람 complément 라면
sujet 할아버지 complément 손자

Nous avons appris comment les phrases sont structurées en coréen. Entraînons-nous !
Assemblez les pièces suivantes dans le bon ordre pour compléter une phrase.

마신다 (boire) 물을 (eau) 나는 (je)

____

우리는 (nous) 영화를 (film) 본다 (regarder) 무서운 (effrayant)

____

배고픈 (affamé) 급히 (précipitamment) 고양이가 (chat) 먹는다 (manger) 빵을 (pain)

____

천천히 (lentement) 마신다 (boire) 뜨거운 (chaud) 영희가 (Young-hee) 차를 (thé) 예쁜 (jolie)

____

bonne réponse : 나는 물을 마신다 / 우리는 무서운 영화를 본다 / 배고픈 고양이가 빵을 급히 먹는다
예쁜 영희가 뜨거운 차를 천천히 마신다

Certains des mots suivants ont un marqueur de sujet/thème incorrect. Entourez ceux qui sont incorrects.

*Vous n'avez pas besoin de savoir ce que le mot signifie puisque tout ce dont vous avez besoin est la technique pour identifier correctement un mot qui se termine par une consonne ou une voyelle. Travaillons cette technique !

사람가 이름이 하늘이
아기이 세모가
희망이 물가 집가
발가 양이
미래이 책이 컴퓨터가

bonne réponse
: 사람가 / 아기이 / 물가 / 집가 / 발가 / 미래이

Et nous avons tout appris sur les marqueurs de sujet/thème ! Vous souvenez-vous de quand utiliser "은/는" et "이/가"? Ils dépendent du mot auquel ils sont reliés, s'ils se terminent par une consonnne ou une voyelle. Entraînons-nous !

Choisissez entre "은" et "는".

엄마 ☐ 아빠 ☐ 책 ☐ 하늘 ☐

*Encore une fois, vous n'avez pas besoin de savoir ce que signifie le mot, car ce que vous avez besoin de savoir est si le mot se termine par une consonne ou une voyelle.

콩 ☐ 오리 ☐ 내일 ☐ 잠 ☐

bonne réponse : 엄마는 / 아빠는 / 책은 / 하늘은 / 콩은 / 오리는 / 내일은 / 잠은

Choisissez entre "이" et "가".

엄마 ☐ 아빠 ☐ 책 ☐ 하늘 ☐

콩 ☐ 오리 ☐ 내일 ☐ 잠 ☐

bonne réponse : 엄마가 / 아빠가 / 책이 / 하늘이 / 콩이 / 오리가 / 내일이 / 잠이

Maintenant que nous avons tout appris sur les marqueurs de sujet/thème, allons creuser plus loin et comprendre les subtiles différences dans les nuances !
Votre docteur de grammaire, Dr. Kim est là pour vous aider !
Pour être honnête, le marqueur de thème et le marqueur de sujet sont quelque chose que les personnes de langue maternelle coréenne utilisent sans réfléchir, alors quand on leur demande d'expliquer ce qu'ils sont et ce qu'ils font, peu seraient capables de répondre.
Mais pour les étrangers, ils sont très déroutants.
Sans plus attendre, laissez-moi vous aider à les apprendre rapidement et facilement !

"Un" vs "Le"

Supposons que nous parlons d'un nouveau sujet, disons un ordinateur. En français, on utiliserait l'article indéfini "un" devant le sujet.

Après avoir parlé un peu plus de cet ordinateur, nous utiliserions l'article défini "le". "이/가" et "은/는" sont similaires à cet aspect. "이/가" est utilisé lorsqu'une chose est mentionnée pour la première fois et "은/는" est utilisé pour indiquer ce dont on a déjà parlé.

Par exemple :

신발**이** 크다. [sin-ba-**ri** kŭ-da.] **Une** chaussure est grande.
그런데 **그** 신발**은** 예쁘다. [gŭ-reon-de **gŭ** sin-ba-**rŭn** ye-bbŭ-da.]
Mais **la** chaussure **est** jolie.

(Notez l'ajout de "그 (le)" et que "은" suit le sujet.)

"Contraste"

"이/가" est utilisé pour une affirmation générale et "은/는" pour le contraste.

신발**이** 있다. [sin-ba-**ri** it-dda.] Il y **a** une chaussure.
신발**은** 있다. 그런데 모자**는** 없다.
[sin-ba-**rŭn** it-dda. gŭ-reon-de mo-ja-**nŭn** ŏp-dda.]
Il y **a** une chaussure, mais il n'y **a** pas de chapeau.

Ici, "신발" la chaussure est le sujet principal de la phrase, et il n'y a pas de contraste, ainsi c'est "이". Dans la seconde phrase, cependant, une comparaison est faite entre "신발" et "모자".

C'est pourquoi "은/는" sont utilisés dans cette phrase.

"Accentuation"

Par exemple :

신발이 크기는 하다. [sin-ba-ri keu-gi-**nŭn** ha-da.] La chaussure **est en effet** grande.
신발이 예쁘기는 하다. [sin-ba-ri ye-bbeu-gi-**nŭn** ha-da.] La chaussure **est en effet** jolie.

("크기는" et "예쁘기는" sont conjugués à partir de l'adjectif "크다/예쁘다".)

LE MARQUEUR DE COMPLÉMENT - 을/를

Un marqueur de complément signifie qu'un nom se comporte comme un complément dans la phrase. Comme règle générale, un complément dans une phrase (une chose ou une personne) **reçoit une action et est décrit par le verbe du sujet**.

수지가 <u>책</u>**을** >읽어요<. [**su-ji**-ga <u>chae-</u>g**ŭl** >il-gŏ-yo<.] **Suji** >lit< un <u>livre</u>.

Ici, "수지" est le sujet, et "책" est le complément qui reçoit l'action du sujet "수지" qui est de lire.

민호가 <u>운동장</u>**을** >달려요<.
[**min-ho**-ga <u>un-dong-jang-</u>**ŭl** >dal-lyŏ-yo<.] **Minho** >court< the <u>le terrain de jeu</u>.

Ici, "민호" est le sujet, et "운동장" est le complément qui reçoit l'action du sujet "민호" qui est de courir.

Lequel utiliser ? "을" après un mot se terminant par une voyelle (c'est-à-dire sans batchim) et "를" après un mot se terminant par une consonne finale (c'est-à-dire avec un batchim).

Ne vous stressez pas avec ces marqueurs pour le moment, car les Coréens seront toujours capables de comprendre le sens des phrases sans les marqueurs de thème/sujet/complément (même si vous aurez l'air d'un homme de Cro-Magnon). Continuons de nous entraîner !

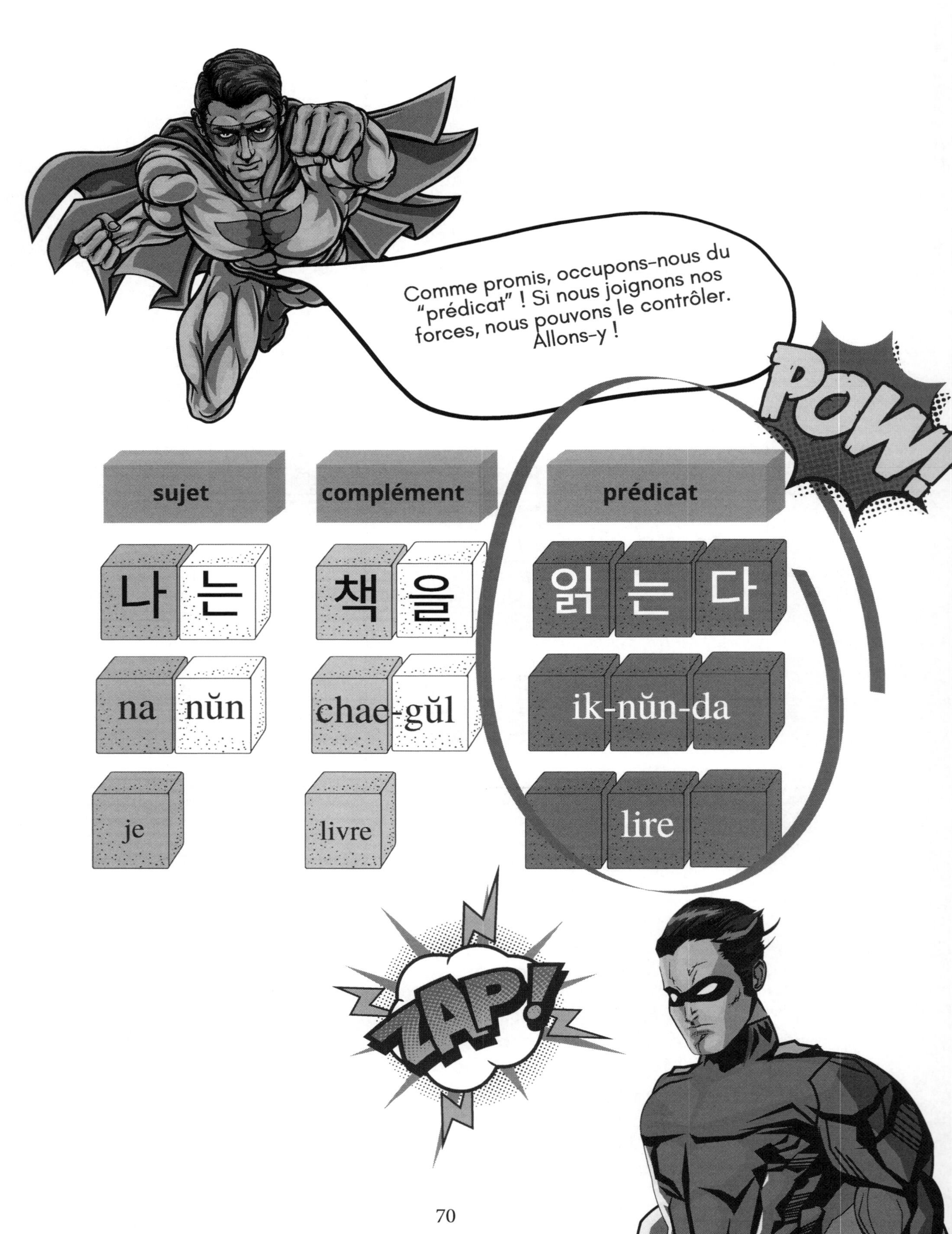
Comme promis, occupons-nous du "prédicat" ! Si nous joignons nos forces, nous pouvons le contrôler. Allons-y !
POW!
sujet
complément
prédicat
나 는
책 을
읽 는 다
na nŭn
chae-gŭl
ik-nŭn-da
je
livre
lire
ZAP!

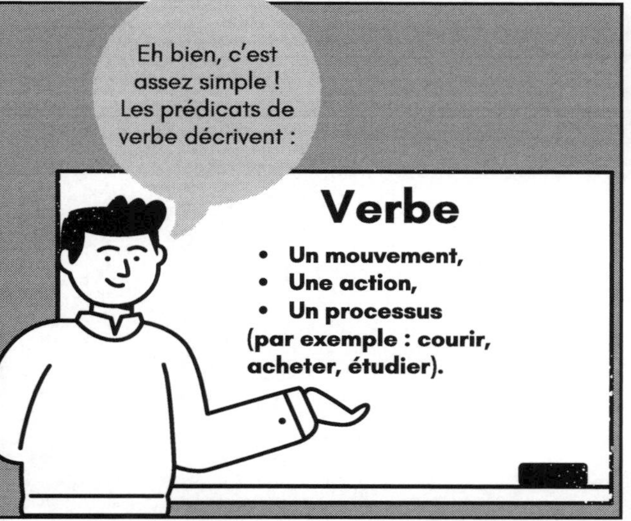

Sans eux, nous ne pouvons pas clairement comprendre ce que le sujet fait (verbe) ou à quoi il ressemble (adjectif), et c'est pourquoi les adjectifs sont aussi appelés verbes descriptifs en coréen !

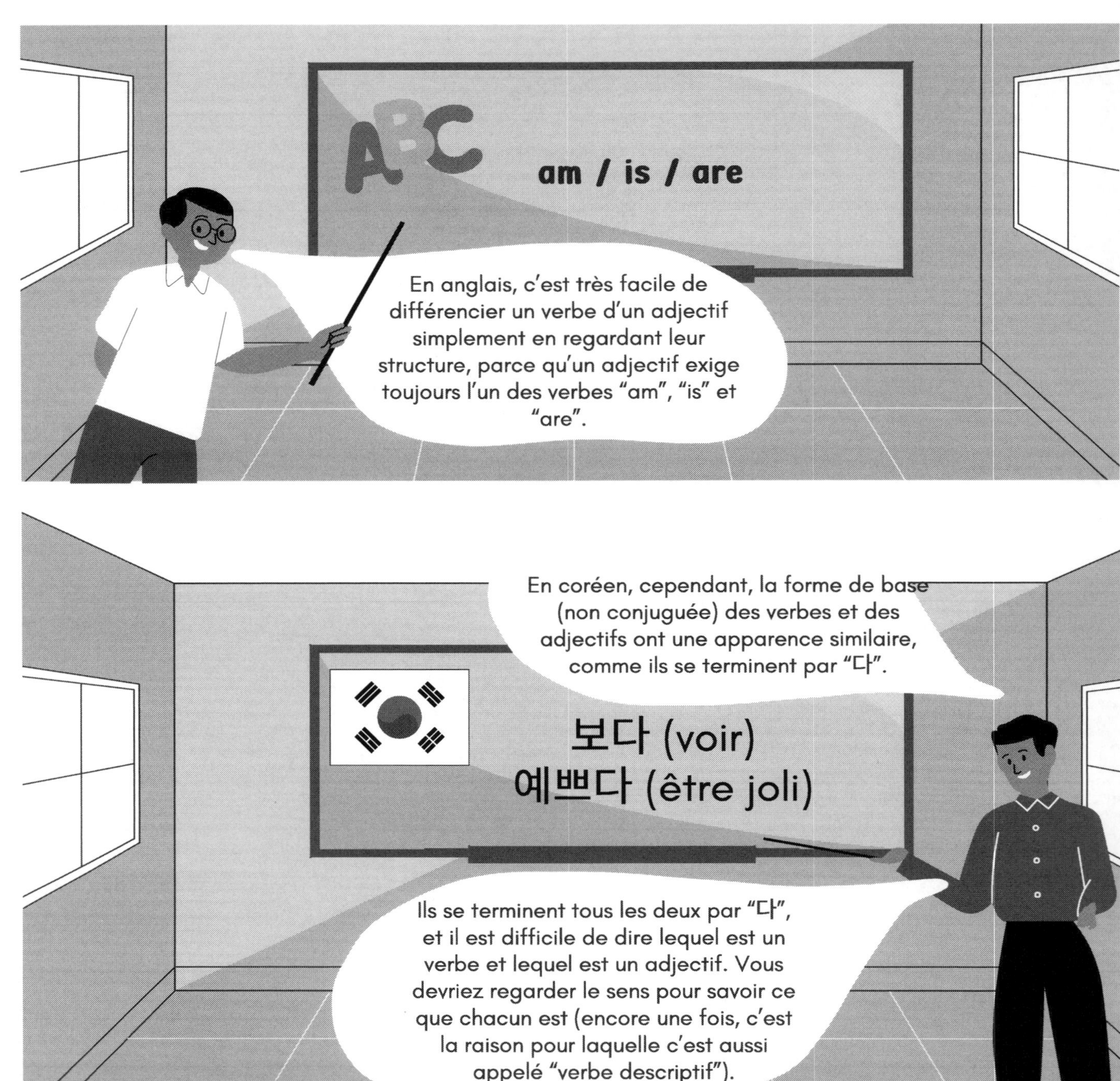
ABC
am / is / are
En anglais, c'est très facile de différencier un verbe d'un adjectif simplement en regardant leur structure, parce qu'un adjectif exige toujours l'un des verbes "am", "is" et "are".
En coréen, cependant, la forme de base (non conjuguée) des verbes et des adjectifs ont une apparence similaire, comme ils se terminent par "다".
보다 (voir)
예쁘다 (être joli)
Ils se terminent tous les deux par "다", et il est difficile de dire lequel est un verbe et lequel est un adjectif. Vous devriez regarder le sens pour savoir ce que chacun est (encore une fois, c'est la raison pour laquelle c'est aussi appelé "verbe descriptif").

Les verbes et les adjectifs coréens sont composés de deux parties : un radical et une terminaison.

먹다 (manger)

먹

었다
고 있다
을 것이다
자
어라
는다
겠다
니

Dans cette forme de base, le verbe ou l'adjectif se termine par "다", ce qui est aussi la forme que vous utiliseriez pour chercher dans un dictionnaire.

Ce sont les formes conjuguées du verbe qui remplacent la place de "다". Ce sont comme des feuilles sur la racine d'une plante (un radical), parce qu'il y en a beaucoup.

Ce qui arrive avant "다" est le radical du verbe.
C'est appelé radical car il ne change pas.

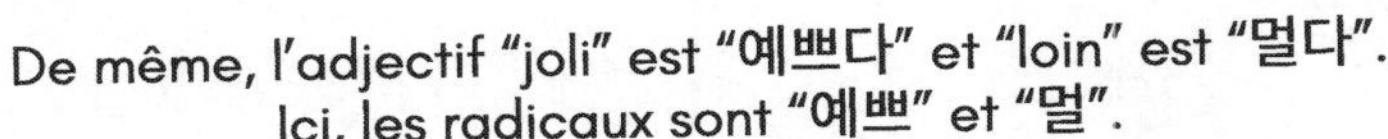

De même, l'adjectif "joli" est "예쁘다" et "loin" est "멀다".
Ici, les radicaux sont "예쁘" et "멀".

De plus, la terminaison est conjuguée différemment selon la situation (familier, soutenu, respectueux, etc.). Nous l'aborderons plus tard.

Point-clé : les verbes ainsi que les adjectifs coréens peuvent être conjugués.

QUIZ D'ENTRAÎNEMENT

Apprenons à identifier le radical des prédicats suivants !

Soulignez le radical.

먹다 (Manger) 귀엽다 (Être mignon) 뛰다 (Courir)

읽다 (Lire) 무섭다 (Être effrayant) 보다 (Voir)

입다 (Porter) 느리다 (Être lent) 빠르다 (Être rapide)

구르다 (Rouler) 짜다 (Être salé) 공부하다 (Étudier)

멀다 (Être loin) 길다 (Être long) 늦다 (Être en retard)

앉다 (S'asseoir) 배우다 (Apprendre) 높다 (Être haut)

bonne réponse
먹 / 귀엽 / 뛰
읽 / 무섭 / 보
입 / 느리 / 빠르
구르 / 짜 / 공부하
멀 / 길 / 늦
앉 / 배우 / 높

Mettez les mots suivants dans la bonne catégorie.

예쁘다 (Être joli) 뛰다 (Courir) 느리다 (Être lent)

읽다 (Lire) 늦다 (Être en retard) 높다 (Être haut)

아프다 (Être malade) 울다 (Pleurer) 학생이다 (Être un élève)

1) Une personne / La chose

2) Un mouvement

3) La forme / Les caractéristiques

4) La condition

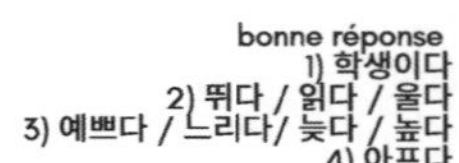

Les adjectifs et les règles de conjugaison

Mais lorsqu'un adjectif est utilisé comme un adjectif et non un prédicat, il prend une autre forme et est placé toujours AVANT un nom, avec quelques règles générales listées ci-dessous.

Le ㄴ batchim est ajouté au radical de l'adjectif se terminant par une voyelle.

예쁘다 "est joli"

En tant que prédicat : 고양이가 **예쁘다**. "Le chat **est joli**."
En tant qu'adjectif : **예쁜** 고양이 "**joli** chat"
1) Le radical "예쁘" reste.
2) La terminaison "다" est abandonnée.
3) Le batchim "ㄴ" est ajouté à "예쁘" en donnant "예쁘 + ㄴ = 예쁜".

Rappelez-vous, cela vient avant un nom en tant qu'adjectif !

빠르다 "est rapide"

En tant que prédicat : 고양이가 **빠르다**. "Le chat **est rapide**."
En tant qu'adjectif : **빠른** 고양이 "**rapide** chat"
1) Le radical "빠르" reste.
2) La terminaison "다" est abandonnée.
3) Le batchim "ㄴ" est ajouté à "빠르" en donnant "빠르 + ㄴ = 빠른".

est ajouté au radical de l'adjectif se terminant par une consonne.

검다 "être noir"

En tant que prédicat : 고양이가 **검다**. "Le chat **est noir**."
En tant qu'adjectif : **검은** 고양이 "**noir** chat"
1) Le radical "검" reste.
2) La terminaison "다" est abandonnée.
3) "은" est ajouté à "검" en donnant "검은".

"은" est ajouté ici !

얕다 "est peu profond"

En tant que prédicat : 호수가 **얕다**. "Le lac **est peu profond**."
En tant qu'adjectif : **얕은** 호수 "**peu profond** lac"
1) Le radical "얕" reste.
2) La terminaison "다" est abandonnée.
3) "은" est ajouté à "얕" en donnant "얕은".

Adjectif à "ㅂ" batchim irrégulier

Le batchim **ㅂ** du radical est abandonné et **운** est ajouté au radical.

뜨겁다 "être chaud"

En tant que prédicat : 물이 **뜨겁다**. "L'eau **est chaude**."
En tant qu'adjectif : **뜨거운** 물 "**chaude** eau".
1) Le batchim "ㅂ" du radical "뜨겁" est abandonné en ne laissant que "뜨거".
2) La terminaison "다" est abandonnée.
3) À la place de "은", "운" est ajouté à "뜨거" en donnant "뜨거운".

뜨겁다 > 뜨겁은 (x) 뜨거운 (o)

맵다 "être piquant"

En tant que prédicat : 국이 **맵다**. "La soupe **est piquante**."
En tant qu'adjectif : **매운** 국 "**piquante** soupe"
1) Le batchim "ㅂ" du radical "맵" est abandonné en ne laissant que "매".
2) La terminaison "다" est abandonnée.
3) À la place de "은", "운" est ajouté à "매" en donnant "매운".

맵 > 맵은 (x) 매운 (o)

*Il y a plein d'autres cas d'adjectifs et verbes irréguliers, mais connaître les types les plus communs est pour le moment suffisant. Nous aborderons les cas particuliers au fur à mesure que nous allons avancer !

Adjectif à "ㅎ" batchim irrégulier

Le batchim **ㄴ** remplace **ㅎ** du radical.

하얗다 "être blanc"

En tant que prédicat : 눈이 **하얗다**. "La neige **est blanche**."
En tant qu'adjectif : **하얀** 눈 "**blanche** neige"
1) La terminaison "다" est abandonnée laissant le radical "하얗".
2) Le batchim "ㅎ" du radical "하얗" est abandonné en ne laissant que "하야".
3) À la place de "은", le batchim "ㄴ" va là où "ㅎ" était, en donnant "하얀".

하얗다 > 하얗은 (x) 하얀 (o)

동그랗다 "être rond"

En tant que prédicat : 공이 **동그랗다**. "La balle **est rond**."
En tant qu'adjectif :**동그란** 공 "**ronde** balle"
1) La terminaison "다" est abandonnée, laissant le radical "동그랗".
2) Le batchim "ㅎ" du radical "동그랗" est abandonné, laissant "동그라".
3) À la place de "은", le batchim "ㄴ" va là où était "ㅎ", donnant "동그란".

동그랗다 > 동그랗은 (x) 동그란 (o)

Les adjectifs et leurs utilisations

En coréen, les adjectifs sont utilisés pour décrire le sujet/complément qui suit, de manière plus précise et claire. Selon le mot que vous choisissez, le sens de la phrase changerait drastiquement.

Nous avons abordé comment les adjectifs peuvent être utilisés comme prédicats similairement aux verbes. Il y a deux autres utilisations possibles des adjectifs.

Ici, l'adjectif "멋진" décrit le sujet "자동차". Comment pouvons-nous savoir lequel est sujet et lequel est complément ? Vous souvenez-vous des marqueurs de sujet "이/가" et de complément "을/를" ? "자동차" est suivi par "가", c'est donc un sujet. Regardons un autre exemple.

Ici, vous pouvez voir que "무서운" décrit l'objet "영화". On sait que "영화" est le complément (sur lequel l'action est réalisée) ici parce qu'il est suivi de "를", un marqueur de complément.

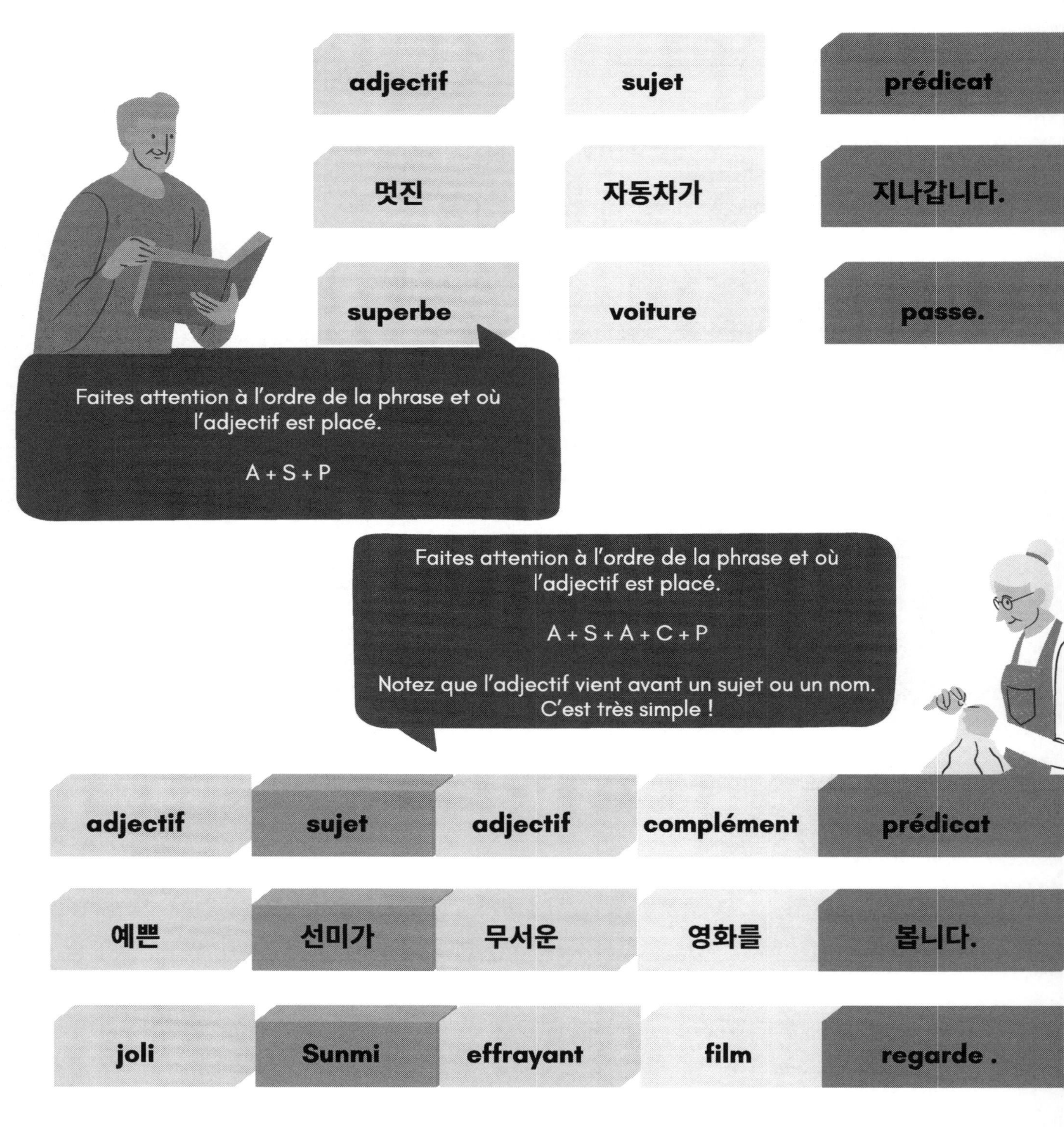
adjectif
sujet
prédicat
멋진
자동차가
지나갑니다.
superbe
voiture
passe.
Faites attention à l'ordre de la phrase et où l'adjectif est placé.
A + S + P
Faites attention à l'ordre de la phrase et où l'adjectif est placé.
A + S + A + C + P
Notez que l'adjectif vient avant un sujet ou un nom. C'est très simple !
adjectif
sujet
adjectif
complément
prédicat
예쁜
선미가
무서운
영화를
봅니다.
joli
Sunmi
effrayant
film
regarde .

QUIZ D'ENTRAÎNEMENT

Convertissez les prédicats adjectifs suivants en une forme d'adjectif de base.

Le ㄴ batchim est ajouté au radical de l'adjectif se terminant par une voyelle.

무디다 **(Être peu tranchan) >** **(peu tranchant)**
못되다 **(Être méchant) >** **(méchant)**
깨끗하다 **Être propre) >** **(propre)**
나쁘다 **(Être mauvais) >** **(mauvais)**
세다 **(Être fort) >** **(fort)**

bonne réponse : 무딘 / 못된 / 깨끗한 / 밝은 / 나쁜 / 센

은 est ajouté au radical de l'adjectif se terminant par une consonne.

얇다 **(Être fin) >** **(fin)**
맑다 **(Être clair) >** **(clair)**
깊다 **(Être profond) >** **(profond)**
낮다 **(Être bas) >** **(bas)**
짧다 **(Être court) >** **(court)**

bonne réponse : 얇은 / 맑은 / 깊은 / 낮은 / 짧은

Le batchim ㅂ du radical est abandonné et 운 est ajouté au radical.

가볍다 **(Être léger) >** **(léger)**
쉽다 **(Être facile) >** **(facile)**
가깝다 **(Être proche) >** **(proche)**
뜨겁다 **(Être chaud) >** **(chaud)**
싱겁다 **(Être fade) >** **(fade)**

bonne réponse : 가벼운 / 쉬운 / 가까운 / 뜨거운 / 싱거운

Le batchim ㄴ remplace ㅎ du radical.

하얗다 **(Être blanc) >** **(blanc)**
까맣다 **(Être noir) >** **(noir)**
조그맣다 **(Être petit) >** **(petit)**
뿌옇다 **(Être nuageux) >** **(nuageux)**
동그랗다 **(Être rond) >** **(rond)**

bonne réponse : 하얀 / 까만 / 조그만 / 뿌연 / 동그란

Les adverbes

Très bien ! Apprenons un autre élément super important lié aux adjectifs que nous venons de voir. Ce sont les adverbes ! Par définition, ce sont des mots ou des phrases qui modifient/qualifient un adjectif, un verbe ou un autre adverbe ou un groupe de mots, exprimant une relation de lieu, de temps, de circonstance, de manière, de cause, de degré, etc.

Par exemple, en français, l'adjectif **prudent** est utilisé **prudemment** quand utilisé comme adverbe.

prudent prud**emment**

Je suis rapidement rentré à la maison.

En français, un adverbe peut être placé avant ou après un verbe, mais en coréen, il doit être placé avant un verbe et ne peut pas venir avant un sujet.

s adv v
나는 집에 빨리 뛰어갔다. (O)

s adv v
나는 빨리 집에 뛰어갔다. (O)

s v adv
나는 집에 뛰어갔다 빨리. (X)

adv s v
빨리 나는 집에 뛰어갔다. (X)

Il y a différents types d'adverbes, ainsi que de nombreuses exceptions aux règles. Par conséquent, il est plus facile de vous familiariser avec eux, plutôt que d'essayer de mémoriser les règles.

Règle n°1 : "하다" → "-게" / "-히"

Pour les adjectifs se terminant par "하다", vous pouvez utiliser soit :
1) Remplacer la terminaison "다" par "게" comme ci-dessus, ou
2) Abandonner la terminaison "하다" et remplacer par "히".
Les deux sont identiques dans le sens, mais il y a une subtile différence de nuance. Les personnes de langue maternelle coréenne les utilisent de façon interchangeable.

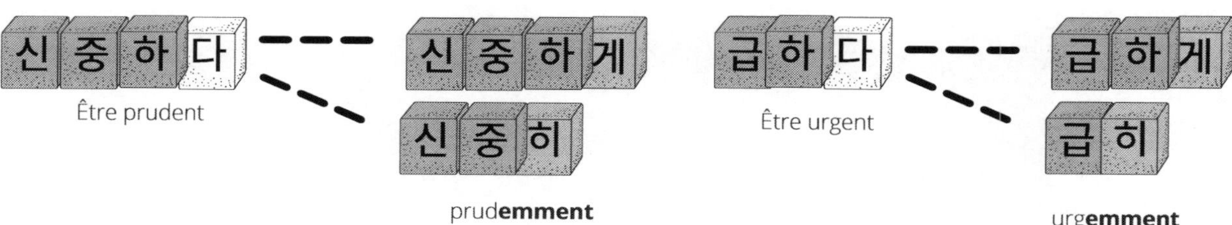

Règle n°1-1 : "하다" → "-이" / "-히"

Pour les adjectifs en "하다" se terminant par un batchim "ㅅ" ou "ㄱ", "이" ou "히" est ajouté au radical. Il est préférable de les mémoriser au cas par cas.

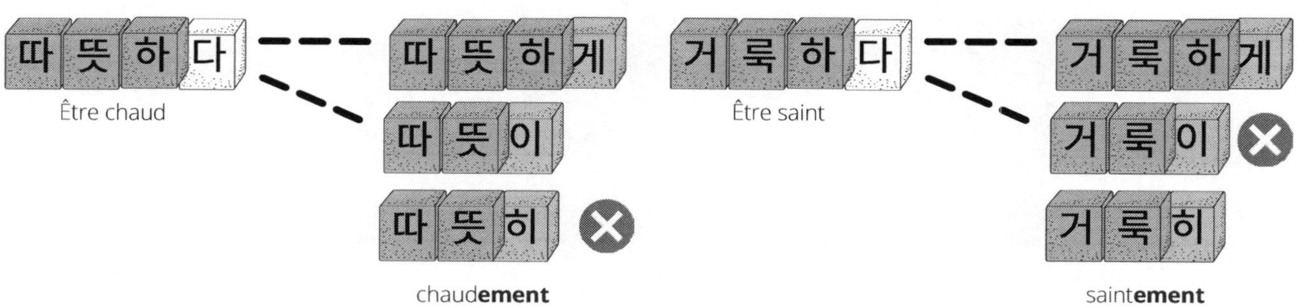

Règle n°1 : exemple d'exceptions

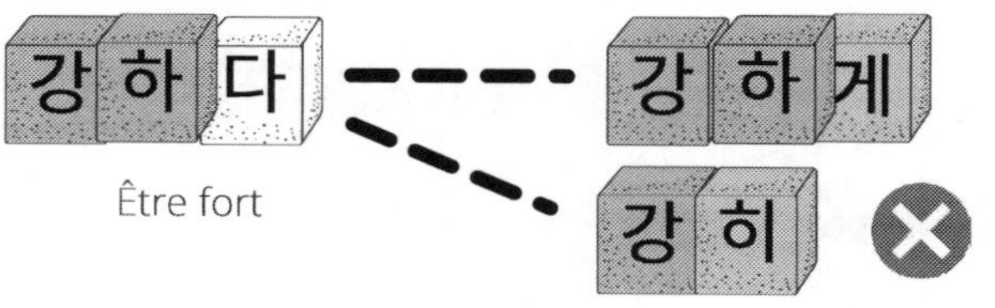

fortement

Ici, "강히" n'est pas un adjectif que les Coréens utilisent, c'est donc un exemple d'exceptions.

Donc, si vous voyez un mot se terminant par "하게" ou "히", vous pouvez l'identifier comme un adverbe et deviner sa forme de base.

Règle n°2 : "-게"

Pour les adjectifs se terminant par "다", remplacez la terminaison "다" par "게".

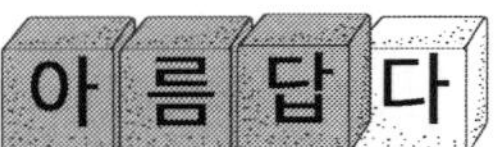

Être magnifique

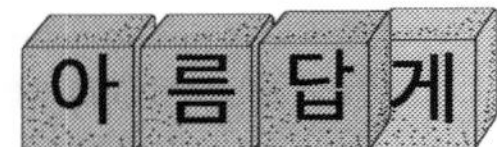

magnifiqu**ement**

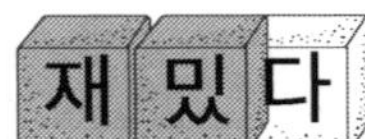

Être drôle

drôl**ement**

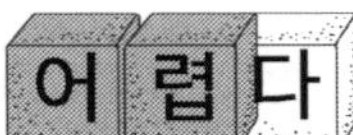

Être difficile

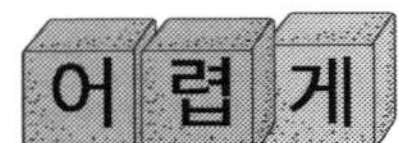

difficil**ement**

*En cas de doute, il est sûr d'utiliser "게", car il fonctionne dans toutes les situations.

Règle n°3 : "-적으로"

Il y a des adverbes qui prennent la forme d'un nom + "적으로".

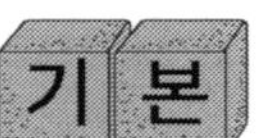

Basique

basiqu**ement**

Passion

열정적으로

passionn**ément**

Règle n°4 : les formes invariables

Apprenez-les et utilisez-les dans leur forme d'origine !
Attention : ce n'est PAS une liste exhaustive.

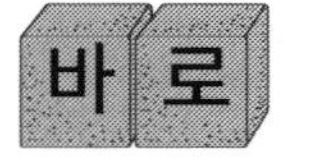

immédiatement

assez

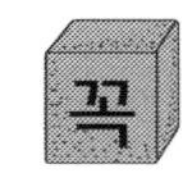

certainement

sûrement

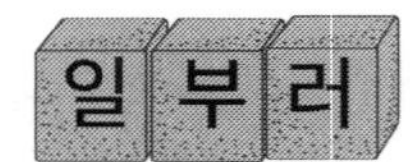

intentionnellement

함부로

imprudemment

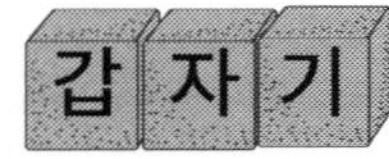

subitement

QUIZ D'ENTRAÎNEMENT

Transformez les prédicats adjectifs suivants en une forme d'adverbe.

Règle nº1 : "하다" → "-게" / "-히"

Pour les adjectifs se terminant par "하다", vous pouvez utiliser soit :
1) Remplacer la terminaison "다" par "게" comme ci-dessus, ou
2) Abandonner la terminaison "하다" et remplacer par "히".
Les deux sont identiques dans le sens, mais il y a une subtile différence de nuance. Les personnes de langue maternelle coréenne les utilisent de façon interchangeable.

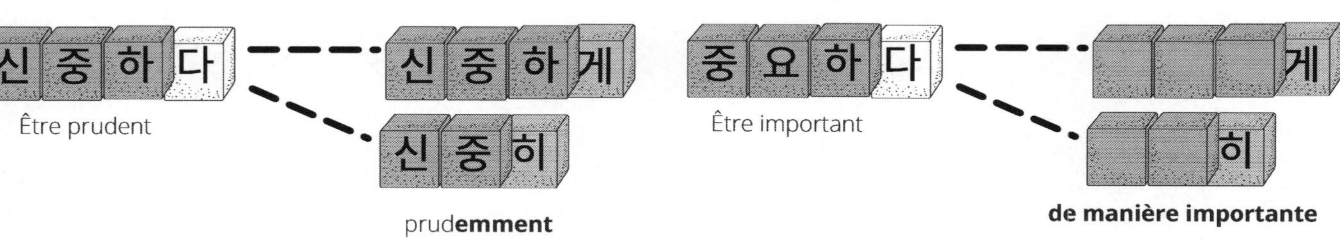

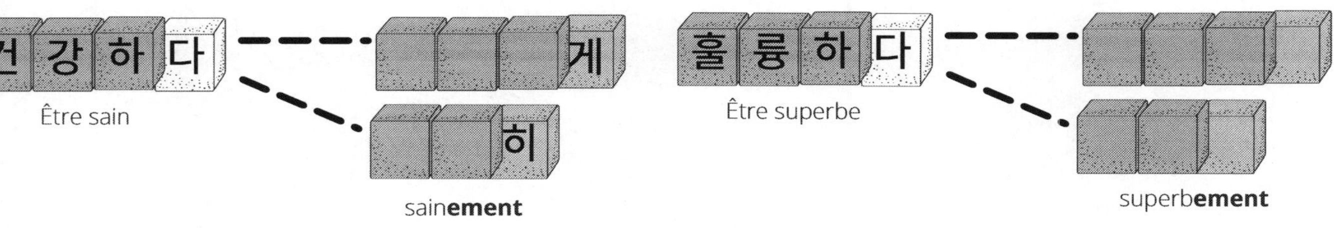

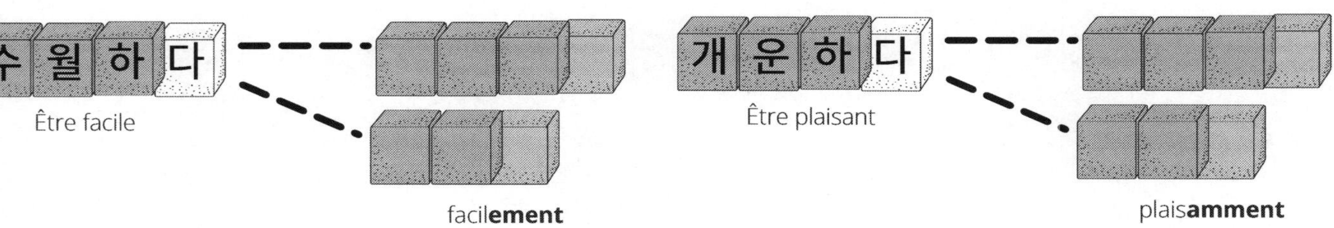

bonne réponse : 중요하게 / 중요히
건강하게 / 건강히 훌륭하게 / 훌륭히
수월하게 / 수월히 개운하게 / 개운히

Règle n°2 : "-게"

Pour les adjectifs se terminant par "다", remplacez la terminaison "다" par "게".

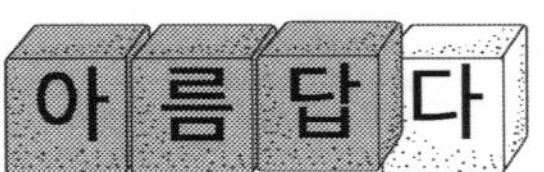

Être magnifique

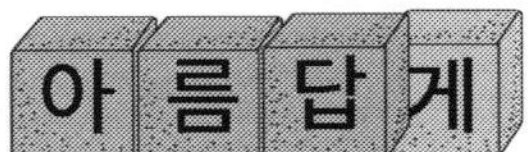

magnifiqu**ement**

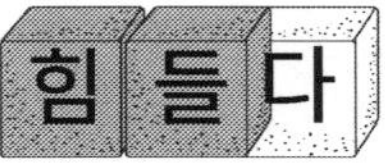

Être drôle

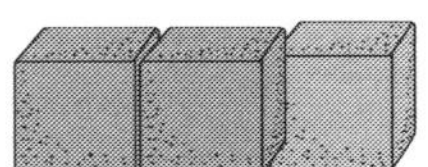
drôl**ement**

Être fier

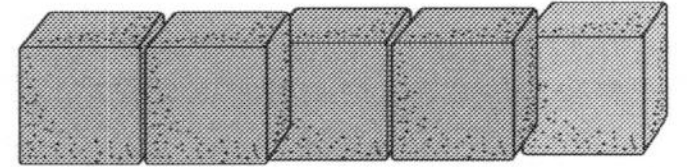
fièr**ement**

bonne réponse :
힘들게
자랑스럽게

Règle n°3 : "-적으로"

Il y a des adverbes qui prennent la forme d'un nom + "적으로".

Basique

basiqu**ement**

Théorie

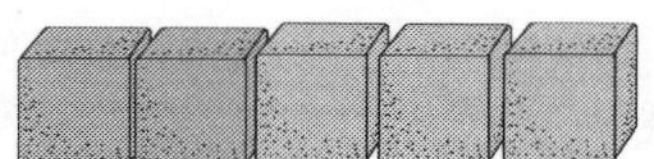
théoriqu**ement**

Histoire

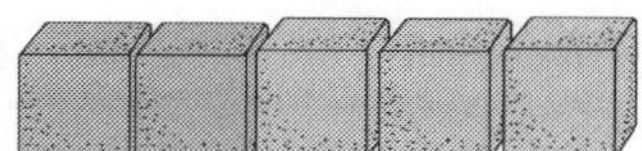
historiqu**ement**

bonne réponse :
이론적으로
역사적으로

Les verbes coréens et la conjugaison

Jusqu'ici, nous avons appris comme lire, écrire, prononcer le Hangul, et nous avons développé une compréhension de la structure d'une phrase, notamment les marqueurs de thème/sujet/complément, ainsi que les prédicats (verbes et adjectifs) ! Avec ceci, vous avez vu les premières pierres de la langue coréenne, alors poussons encore plus loin !

L'un des éléments les plus importants dans n'importe quelle langue est les verbes et leurs règles de conjugaison (gardez à l'esprit que les adjectifs peuvent aussi être conjugués comme verbes, et les mêmes règles s'appliquent, signifiant qu'il n'y a pas besoin de faire un chapitre séparé pour des règles identiques !).

Voici quelques caractéristiques des règles de conjugaison de verbe en coréen :

- **La forme de base non conjuguée (à l'infinitif) se termine par "다".**

Par exemple, "먹다 manger", "달리다 courir", "자다 dormir", "읽다 lire" se terminent tous par "다".

Les verbes coréens (et les adjectifs d'ailleurs comme nous l'avons appris précédemment) sont faciles à repérer !

En s'appuyant sur ce concept,

- **Pour conjuguer un verbe coréen, la première étape est de séparer le radical du verbe de la terminaison "다".**

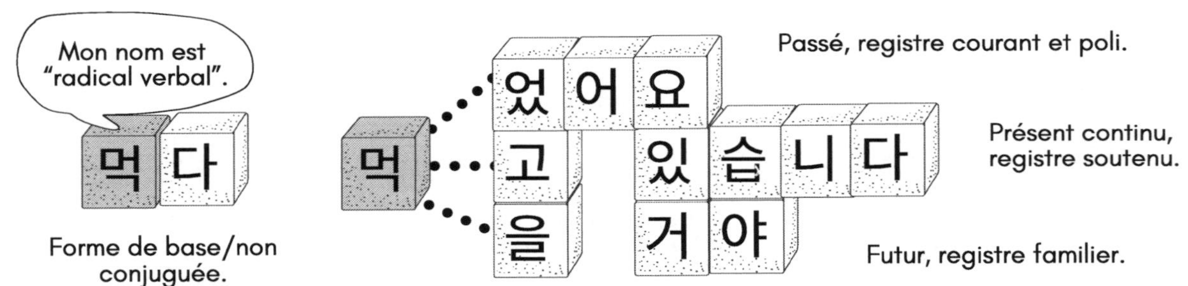

*Ne vous inquiétez pas pour le passé/présent et le registre de langue pour le moment. Nous les aborderons plus tard.

- **Contrairement au français, vous n'avez pas besoin de vous soucier du sujet de la phrase lorsque vous conjuguez le verbe : le verbe ne s'accorde pas avec le sujet !**

Par exemple, on dit "je dors" et "elle dort", mais en coréen, le verbe reste identique à travers tous les sujets !

나는 잔다 - je dors 그녀는 잔다-elle dort

Un autre aspect particulier du coréen est le degré formalisme, c'est-à-dire les différents registres de langue, parce qu'il y a différentes règles de conjugaison selon à qui l'on s'adresse.

ami

Registre familier

- En s'adressant à une personne plus jeune (exemple : les parents à leur enfant).
- Entre amis, frères et sœurs, personnes du même âge (après avoir développé une familiarité).

ami

élève

Registre courant et poli

- Personnes que l'on ne connaît pas.
- En s'adressant à une personne plus jeune avec respect (exemple : un enseignant de maternelle ou de lycée à ses élèves).

professeur

banquier

Registre soutenu

- Documents officiels
- Entre adultes (par exemple : un professeur d'université à un étudiant)
- Annonces des services publics

entrepreneur

Regardons les 8 temps les plus courants en coréen et leurs exemples !

- Présent / Présent continu / passé / futur / présent interrogatif / passé interrogatif / futur interrogatif / suggestif

Il y a cependant plusieurs manières de s'exprimer (des différences subtiles dans la nuance) que celles-ci mais étudier les plus communes listées ci-dessus vous donneront une compréhension solide des règles !

Le présent

- Enlevez la terminaison "다" du radical du verbe.
- Ajoutez "아요" si le verbe se termine par une voyelle "ㅏ" ou "ㅗ" ("놀다 jouer" → "놀아요").
- Ajoutez "어요" si la dernière voyelle du verbe est autre chose ("얼다 geler" → "얼어요").
- En suivant les règles ci-dessus, si le radical du verbe se termine par une voyelle, le "아" ou "어" que vous avez ajouté au radical du verbe se combine avec la syllabe précédente ("보다" → "보아요" → "봐요" avec "보" le radical du verbe).
- Les règles ci-dessus déterminent si "아" ou "어" est utilisé dans le registre familier ou "아요" ou "어요" dans le registre soutenu.

Registre familier
Verbe (terminaison en "ㅏ" / "ㅗ") + 아
Verbe (terminaison par autre chose) + 어

Registre courant et poli
Verbe (terminaison en "ㅏ" / "ㅗ") + 아요
Verbe (terminaison par autre chose) + 어요

Registre soutenu
Verbe (terminaison par une voyelle) + ㅂ니다
Verbe (terminaison par une consonne) + 습니다

가다 – aller
Registre familier: 가
Registre courant et poli: 가요
Registre soutenu: 갑니다 (가+ㅂ니다)

읽다 – lire
Registre familier: 읽어
Registre courant et poli: 읽어요
Registre soutenu: 읽습니다

보다 – voir
Registre familier: 봐 (보+아)
Registre courant et poli: 봐요 (보+아)
Registre soutenu: 봅니다 (보+ㅂ니다)

말리다 – sécher
Registre familier: 말려 (말리+어)
Registre courant et poli: 말려요 (말리+어요)
Registre soutenu: 달립니다 (말리+ㅂ니다)

À la place de "하" et "하요", les verbes en "하다" se conjuguent un peu différemment, en "해" et "해요". C'est l'un des verbes les plus fréquemment utilisés en coréen, alors habituez-vous à ça !

Aussi, contrairement aux autres verbes, les verbes en "하다" sont toujours combinés avec un nom pour en faire un verbe. Par exemple : "공부하다" = "faire des études (étudier)" ; "노래하다" = "faire un chant (chanter)".

하다 – faire
Registre familier: 해
Registre courant et poli: 해요
Registre soutenu: 합니다 (하+ㅂ니다)

QUIZ D'ENTRAÎNEMENT

Identifiez auquel des trois registres appartiennent les verbes au présent suivants.

Registre familier / Registre courant et poli / Registre soutenu

돌다 tourner

돌아요
돕니다
돌아

오다 venir

와
와요
옵니다

노래하다 chanter

노래합니다
노래해
노래해요

긁다 gratter

긁어요
긁습니다
긁어

bonne réponse : 돌다 -> 돌아요 Registre courant et poli 돕니다 Registre soutenu 돌아 Registre familier
오다 -> 와 Registre familier 와요 Registre courant et poli 옵니다 Registre soutenu
노래하다 -> 노래합니다 Registre soutenu 노래해 Registre familier 노래해요 Registre courant et poli
긁다 -> 긁어요 Registre courant et poli 긁습니다 Registre soutenu 긁어 Registre familier

Transformez les verbes à la forme de base suivants en les trois formes de registre (présent).

사다 – acheter

Registre familier:

____

Registre courant et poli:

____

Registre soutenu:

____

입다 – porter

Registre familier:

____

Registre courant et poli:

____

Registre soutenu:

____

먹다 – manger

Registre familier:

____

Registre courant et poli:

____

Registre soutenu:

____

bonne réponse : 사다 -> 사 / 사요 / 삽니다
입다 -> 입어 / 입어요 / 입습니다
먹다 -> 먹어 / 먹어요 / 먹습니다

Présent continu

- Enlevez la terminaison "다" du radical du verbe et ajoutez les éléments suivants qui signifient "en train de" en français.

Registre familier	**Registre courant et poli**
Verbe + 고 있어	Verbe + 고 있어요

Registre soutenu
Verbe + 고 있습니다

가다 – aller
Registre familier: 가고 있어
Registre courant et poli: 가고 있어요
Registre soutenu: 가고 있습니다

읽다 – lire
Registre familier: 읽고 있어
Registre courant et poli: 읽고 있어요
Registre soutenu: 읽고 있습니다

보다 – voir
Registre familier: 보고 있어
Registre courant et poli: 보고 있어요
Registre soutenu: 보고 있습니다

말리다 – sécher
Registre familier: 말리고 있어
Registre courant et poli: 말리고 있어요
Registre soutenu: 말리고 있습니다

하다 – faire
Registre familier: 하고 있어
Registre courant et poli: 하고 있어요
Registre soutenu: 하고 있습니다

QUIZ D'ENTRAÎNEMENT

Identifiez auquel des trois registres appartiennent les verbes au présent continu suivants.

Registre familier / Registre courant et poli / Registre soutenu

돌다 tourner

돌고 있어요
돌고 있습니다
돌고 있어

오다 venir

오고 있어
오고 있습니다
오고 있어요

노래하다 chanter

노래하고 있습니다
노래하고 있어요
노래하고 있어

긁다 gratter

긁고 있습니다
긁고 있어
긁고 있어요

bonne réponse: 돌다 -> 돌고 있어요 Registre courant et poli 돌고 있습니다 Registre soutenu 돌고 있어 Registre familier
오다 -> 오고 있어 Registre familier 오고 있습니다 Registre soutenu 오고 있어요 Registre courant et poli
노래하다 -> 노래하고 있습니다 Registre soutenu 노래하고 있어요 Registre courant et poli 노래하고 있어 Registre familier
긁다 -> 긁고 있습니다 Registre soutenu 긁고 있어 Registre familier 긁고 있어요 Registre courant et poli

Transformez les verbes à la forme de base suivants en les trois formes de registre (présent continu).

사다 – acheter

Registre familier:

____

Registre courant et poli:

____

Registre soutenu:

____

입다 – porter

Registre familier:

____

Registre courant et poli:

____

Registre soutenu:

____

먹다 – manger

Registre familier:

____

Registre courant et poli:

____

Registre soutenu:

____

bonne réponse: 사다 -> 사고 있어 / 사고 있어요 / 사고 있습니다
입다 -> 입고 있어 / 입고 있어요 / 입고 있습니다
먹다 -> 먹고 있어 / 먹고 있어요 / 먹고 있습니다

Le passé

- Enlevez la terminaison "다" du radical du verbe.
- Ajoutez "았다" au radical du verbe si le verbe se termine en "ㅗ" ou "ㅏ" ("보다 voir" → "보았다").
- Ajoutez "었다" si le verbe ne se termine pas par une voyelle qui est ni "ㅗ" ni "ㅏ" ("먹다 manger" → "먹었다").
- Certains verbes qui se terminent par une voyelle vont se contracter ("사다 acheter" → "샀다(o)", "사았다(x)").

Registre familier
Verbe (terminaison en "ㅏ" / "ㅗ") + 았어
Verbe (terminaison par autre chose) + 었어

Registre courant et poli
Verbe (terminaison en "ㅏ" / "ㅗ") + 았어요
Verbe (terminaison par autre chose) + 었어요

Registre soutenu
Verbe (terminaison par une voyelle) + 았습니다
Verbe (terminaison par une consonne) + 었습니다

가다 – aller
Registre familier: 갔어
Registre courant et poli: 갔어요
Polite high formality: 갔습니다

읽다 – lire
Registre familier: 읽었어
Registre courant et poli: 읽었어요
Polite high formality: 읽었습니다

보다 – voir
Registre familier: 봤어 (보+았어)
Registre courant et poli: 봤어요 (보+았어요)
Registre courant et poli: 봤습니다 (보+았습니다)

말리다 – sécher
Registre familier: 말렸어 (말리+었어)
Registre courant et poli: 말렸어요 (말리+었어요)
Registre courant et poli: 말렸습니다 (말리+었습니다)

하다 – faire
Registre familier: 했어
Registre courant et poli: 했어요
Registre courant et poli: 했습니다

QUIZ D'ENTRAÎNEMENT

Identifiez auquel des trois registres appartiennent les verbes au le passé suivants.

Registre familier / Registre courant et poli / Registre soutenu

돌다 tourner

돌았어
돌았어요
돌았습니다

오다 venir

왔어요
왔습니다
왔어

노래하다 chanter

노래했어
노래했어요
노래했습니다

긁다 gratter

긁었어
긁었습니다
긁었어요

bonne réponse: 돌다 -> 돌았어 Registre familier 돌았어요 Registre courant et poli 돌았습니다 Registre soutenu
오다 -> 왔어요 Registre courant et poli 왔습니다 Registre soutenu 왔어 Registre familier
노래하다 -> 노래했어 Registre familier 노래했어요 Registre courant et poli 노래했습니다 Registre soutenu
긁다 -> 긁었어 Registre familier 긁었습니다 Registre soutenu 긁었어요 Registre courant et poli

Transformez les verbes à la forme de base suivants en les trois formes de registre (le passé).

사다 – acheter

Registre familier:

____

Registre courant et poli:

____

Registre soutenu:

____

입다 – porter

Registre familier:

____

Registre courant et poli:

____

Registre soutenu:

____

먹다 – manger

Registre familier:

____

Registre courant et poli:

____

Registre soutenu:

____

bonne réponse: 사다 -> 샀어 / 샀어요 / 샀습니다
입다 -> 입었어 / 입었어요 / 입었습니다
먹다 -> 먹었어 / 먹었어요 / 먹었습니다

Le futur

- Enlevez la terminaison "다" du radical du verbe.
- Si le verbe se termine par une voyelle ou "을", ajoutez "ㄹ" au radical du verbe.
- Toutefois, vous n'avez pas besoin d'ajouter quoi que ce soit aux verbes se terminant par "ㄹ".

Registre familier
Verbe (terminaison en "ㅏ" / "ㅗ") + ㄹ 거야
Verbe (terminaison par autre chose) + 을 거야

Registre courant et poli
Verbe (terminaison en "ㅏ" / "ㅗ") + ㄹ 거예요
Verbe (terminaison par autre chose) + 을 거예요

Registre soutenu
Verbe (terminaison par une voyelle) + ㄹ 겁니다
Verbe (terminaison par une consonne) + 을 겁니다

가다 – aller
Registre familier: 갈 거야
Registre courant et poli: 갈 거예요
Registre soutenu: 갈 겁니다

읽다 – lire
Registre familier: 읽을 거야
Registre courant et poli: 읽을 거예요
Registre soutenu: 읽을 겁니다

보다 – voir
Registre familier: 볼 거야
Registre courant et poli: 볼 거예요
Registre soutenu: 볼 겁니다

말리다 – sécher
Registre familier: 말릴 거야
Registre courant et poli: 말릴 거예요
Registre soutenu: 말릴 겁니다

하다 – faire
Registre familier: 할 거야
Registre courant et poli: 할 거예요
Registre soutenu: 할 겁니다

Cette fois-ci, "하다" suit la règle !

QUIZ D'ENTRAÎNEMENT

Identifiez auquel des trois registres appartiennent les verbes au le futur suivants.

Registre familier / Registre courant et poli / Registre soutenu

돌다 tourner

돌 겁니다
돌 거예요
돌 거야

오다 venir

올 거야
올 겁니다
올 거예요

노래하다 chanter

노래할 거예요
노래할 겁니다
노래할 거야

긁다 gratter

긁을 거야
긁을 겁니다
긁을 거예요

bonne réponse: 돌다 -> 돌 겁니다 Registre soutenu 돌 거예요 Registre courant et poli 돌 거야 Registre familier
오다 -> 올 거야 Registre familier 올 겁니다 Registre soutenu 올 거예요 Registre courant et poli
노래하다 -> 노래할 거예요 Registre courant et poli 노래할 겁니다 Registre soutenu 노래할 거야 Registre familier
긁다 -> 긁을 거야 Registre familier 긁을 겁니다 Registre soutenu 긁을 거예요 Registre courant et poli

Transformez les verbes à la forme de base suivants en les trois formes de registre (le futur).

사다 – acheter

Registre familier:

____

Registre courant et poli:

____

Registre soutenu:

____

입다 – porter

Registre familier:

____

Registre courant et poli:

____

Registre soutenu:

____

먹다 – manger

Registre familier:

____

Registre courant et poli:

____

Registre soutenu:

____

bonne réponse: 사다 -> 살 거야 / 살 거예요 / 살 겁니다
입다 -> 입을 거야 / 입을 거예요 / 입을 겁니다
먹다 -> 먹을 거야 / 먹을 거예요 / 먹을 겁니다

Présent interrogatif

- Enlevez la terminaison "다" du radical du verbe.
- La voyelle finale détermine si "아" ou "어" est utilisé au registre familier ou "아요" ou "어요" dans la forme soutenue.
- Utilisez "아요" si la dernière voyelle du verbe est "ㅏ" ou "ㅗ" ("놀다 jouer" → "놀아요").
- Utilisez "어요" si la dernière voyelle du verbe est autre chose ("얼다 geler" → "얼어요").
- Si le radical du verbe se termine par une voyelle, le "아"/"어" que vous ajoutez au radical du verbe se combinera avec la syllabe précédente.

Registre familier
Verbe (terminaison en "ㅏ" / "ㅗ") + 아?
Verbe (terminaison par autre chose) + 어?

Registre courant et poli
Verbe (terminaison en "ㅏ" / "ㅗ") + 아요?
Verbe (terminaison par autre chose) + 어요?

Registre soutenu
Verbe (terminaison par une voyelle) +ㅂ니까?
Verbe (terminaison par une consonne) + 습니까?

가다 – aller
Registre familier: 가?
Registre courant et poli: 가요?
Registre soutenu: 갑니까? (가+ㅂ니까?)

읽다 – lire
Registre familier: 읽어?
Registre courant et poli: 읽어요?
Registre soutenu: 읽습니까? (읽+습니까?)

보다 – voir
Registre familier: 봐 (보+아)?
Registre courant et poli: 봐요 (보+아)?
Registre soutenu: 봅니까 (보+ㅂ니까)?

말리다 – sécher
Registre familier: 말려? (말리+어?)
Registre courant et poli: 말려요? (말리+어요?)
Registre soutenu: 말립니까? (말리+ㅂ니까?))

하다 – faire
Registre familier: 해?
Registre courant et poli: 해요?
Registre soutenu: 합니까? (하+ㅂ니까?)

QUIZ D'ENTRAÎNEMENT

Identifiez auquel des trois registres appartiennent les verbes au présent interrogatif suivants.

Registre familier / Registre courant et poli / Registre soutenu

돌다 tourner
돕니까?
돌아?
돌아요?

오다 venir
와?
옵니까?
와요?

노래하다 chanter
노래해?
노래합니까?
노래해요?

긁다 gratter
긁어?
긁어요?
긁습니까?

bonne réponse: 돌다 -> 돕니까? Registre soutenu 돌아? Registre familier 돌아요? Registre courant et poli
오다 -> 와? Registre familier 옵니까? Registre soutenu 와요? Registre courant et poli
노래하다 -> 노래해? Registre familier 노래합니까? Registre soutenu 노래해요? Registre courant et poli
긁다 -> 긁어? Registre familier 긁어요? Registre courant et poli 긁습니까? Registre soutenu

Transformez les verbes à la forme de base suivants en les trois formes de registre (présent interrogatif).

사다 – acheter

Registre familier:

____

Registre courant et poli:

____

Registre soutenu:

____

입다 – porter

Registre familier:

____

Registre courant et poli:

____

Registre soutenu:

____

먹다 – manger

Registre familier:

____

Registre courant et poli:

____

Registre soutenu:

____

bonne réponse: 사다 -> 사? / 사요? / 삽니까?
입다 -> 입어? / 입어요? / 입습니까?
먹다 -> 먹어? / 먹어요? / 먹습니까?

- Enlevez la terminaison "다" du radical du verbe.
- Comme les verbes au présent, certains verbes qui se terminent par une voyelle se contractent.

Par exemple : "사다 acheter" + "았어?" devient "샀어요?" et non "사았어요?".

Registre familier
Verbe (terminaison en "ㅏ" / "ㅗ") + 았어?
Verbe (terminaison par autre chose) + 었어?

Registre courant et poli
Verbe (terminaison en "ㅏ" / "ㅗ") + 았어요?
Verbe (terminaison par autre chose) + 었어요?

Registre soutenu
Verbe (terminaison par une voyelle) + 았습니까?
Verbe (terminaison par une consonne) + 었습니까?

가다 – aller
Registre familier: 갔어? (가+았어?)
Registre courant et poli: 갔어요? (가+았어여?)
Registre soutenu: 갔었습니까? (갔+었습니까?)

읽다 – lire
Registre familiery: 읽었어?
Registre courant et poli: 읽었어요?
Registre soutenu: 읽었습니까?

보다 – voir
Registre familier: 봤어? (보+았어)
Registre courant et poli: 봤어요? (보+았어요?)
Registre soutenu: 봤습니까? (보+았습니까?)

말리다 – sécher
Registre familier: 말렸어? (말리+었어?)
Registre courant et poli: 말렸어요? (말리+었어요?)
Registre soutenu: 말렸습니까? (말리+었습니까?)

하다 – faire
Registre familier: 했어?
Registre courant et poli: 했어요?
Registre soutenu: 했습니까?

QUIZ D'ENTRAÎNEMENT

Identifiez auquel des trois registres appartiennent les verbes au passé interrogatif suivants.

Registre familier / Registre courant et poli / Registre soutenu

돌다 tourner

돌았어?
돌았습니까?
돌았어요?

오다 venir

왔어요?
왔어?
왔습니까?

노래하다 chanter

노래했어?
노래했어요?
노래했습니까?

긁다 gratter

긁었어요?
긁었어?
긁었습니까?

bonne réponse: 돌다 -> 돌았어? Registre familier 돌았습니까? Registre soutenu 돌았어요? Registre courant et poli
오다 -> 왔어요? Registre courant et poli 왔어? Registre familier 왔습니까? Registre soutenu
노래하다 -> 노래했어? Registre familier 노래했어요? Registre courant et poli 노래했습니까? Registre soutenu
긁다 -> 긁었어요? Registre courant et poli 긁었어? Registre familier 긁었습니까? Registre soutenu

Transformez les verbes à la forme de base suivants en les trois formes de registre (passé interrogatif).

사다 – acheter

Registre familier:

____

Registre courant et poli:

____

Registre soutenu:

____

입다 – porter

Registre familier:

____

Registre courant et poli:

____

Registre soutenu:

____

먹다 – manger

Registre familier:

____

Registre courant et poli:

____

Registre soutenu:

____

bonne réponse: 사다 -> 샀어? / 샀어요? / 샀습니까?
입다 -> 입었어? / 입었어요? / 입었습니까?
먹다 -> 먹었어? / 먹었어요? / 먹었습니까?

Futur interrogatif

- Enlevez la terminaison "다" du radical du verbe.
- Si le verbe se termine par une voyelle ou "을", ajoutez "ㄹ" au radical du verbe.
- Vous n'avez pas besoin d'ajouter quoi que ce soit aux verbes se terminant par "ㄹ".

Registre familier
Verbe (terminaison en "ㅏ" / "ㅗ") + ㄹ
Verbe (terminaison par autre chose) + 을 거야?

Registre courant et poli
Verbe (terminaison en "ㅏ" / "ㅗ") + ㄹ
Verbe (terminaison par autre chose)+ 을 거예요?

Registre soutenu
Verbe (terminaison par une voyelle) + ㄹ 겁니까
Verbe (terminaison par une consonne) + 을 겁니까?

가다 – aller
Registre familier: 갈 거야?
Registre courant et poli: 갈 거예요?
Registre soutenu: 갈 겁니까?

읽다 – lire
Registre familier: 읽을 거야?
Registre courant et poli: 읽을 거예요?
Registre soutenu: 읽을 겁니까?

보다 – voir
Registre familier: 볼 거야?
Registre courant et poli: 볼 거예요?
Registre soutenu: 볼 겁니까?

말리다 – sécher
Registre familier: 말릴 거야?
Registre courant et poli: 말릴 거예요?
Registre soutenu: 말릴 겁니까?

하다 – faire
Registre familier: 할 거야?
Registre courant et poli: 할 거예요?
Registre soutenu: 할 겁니까?

Cette fois-ci, "하다" suit la règle !

QUIZ D'ENTRAÎNEMENT

Identifiez auquel des trois registres appartiennent les verbes au futur interrogatif suivants.

Registre familier / Registre courant et poli / Registre soutenu

돌다 tourner

돌 겁니까?
돌 거야?
돌 거예요?

오다 venir

올 거야?
올 겁니까?
올 거예요?

노래하다 chanter

노래 할 거야?
노래 할 겁니까?
노래 할 거예요?

긁다 gratter

긁을 겁니까?
긁을 거예요?
긁을 거야?

bonne réponse: 돌다 -> 돌 겁니까? Registre soutenu 돌 거야? Registre familier 돌 거예요? Registre courant et poli
오다 -> 올 거야? Registre familier 올 겁니까? Registre soutenu 올 거예요? Registre courant et poli
노래하다 -> 노래 할 거야? Registre familier 노래 할 겁니까? Registre soutenu 노래 할 거예요? Registre courant et poli
긁다 -> 긁을 겁니까? Registre soutenu 긁을 거예요? Registre courant et poli 긁을 거야? Registre familier

Transformez les verbes à la forme de base suivants en les trois formes de registre (futur interrogatif).

사다 – acheter

Registre familier:

____

Registre courant et poli:

____

Registre soutenu:

____

입다 – porter

Registre familier:

____

Registre courant et poli:

____

Registre soutenu:

____

먹다 – manger

Registre familier:

____

Registre courant et poli:

____

Registre soutenu:

____

bonne réponse: 사다 -> 살 거야? / 살 거예요? / 살 겁니까?
입다 -> 입을 거야? / 입을 거예요? / 입을 겁니까?
먹다 -> 먹을 거야? / 먹을 거예요? / 먹을 겁니까?

- Enlevez la terminaison "다" du radical du verbe.

Registre familier
Verbe (terminaison en "ㅏ" / "ㅗ") + 아
Verbe (terminaison par autre chose) + 어

Registre courant et poli
Verbe (terminaison en "ㅏ" / "ㅗ") + 세요
Verbe (terminaison par autre chose) + 으세요

Polite high formality
Verbe (terminaison par une voyelle) + 십시오
Verbe (terminaison par une consonne) + 으십시오

가다 – aller
Registre familier: 가
Registre courant et poli: 가세요
Registre soutenu: 가십시오

읽다 – lire
Registre familier: 읽어
Registre courant et poli: 읽으세요
Registre soutenu: 읽으십시오

보다 – voir
Registre familier: 봐 (보+아)
Registre courant et poli: 보세요
Registre soutenu: 보십시오

말리다 – sécher
Registre familier: 말려 (말리+어)
Registre courant et poli: 말리세요
Registre soutenu: 말리십시오

하다 – faire
Registre familier: 해
Registre courant et poli: 하세요
Registre soutenu: 하십시오

QUIZ D'ENTRAÎNEMENT

Identifiez auquel des trois registres appartiennent les verbes au suggestif suivants.

Registre familier / Registre courant et poli / Registre soutenu

돌다 tourner

돌아
도세요
도십시오

오다 venir

오세요
오십시오
와

노래하다 chanter

노래하세요
노래해
노래하십시오

긁다 gratter

긁어
긁으십시오
긁으세요

bonne réponse: 돌다 -> 돌아 Registre familier 도세요 Registre courant et poli 도십시오 Registre soutenu
오다 -> 오세요 Registre courant et poli 오십시오 Registre soutenu 와 Registre familier
노래하다 -> 노래하세요 Registre courant et poli 노래해 Registre familier 노래하십시오 Registre soutenu
긁다 -> 긁어 Registre familier 긁으십시오 Registre soutenu 긁으세요 Registre courant et poli

Transformez les verbes à la forme de base suivants en les trois formes de registre (suggestif).

사다 – acheter

Registre familier:

____

Registre courant et poli:

____

Registre soutenu:

____

입다 – porter

Registre familier:

____

Registre courant et poli:

____

Registre soutenu:

____

먹다 – manger

Registre familier:

____

Registre courant et poli:

____

Registre soutenu:

____

bonne réponse: 사다 -> 사 / 사세요 / 사십시오
입다 -> 입어 / 입으세요 / 입으십시오
먹다 -> 먹어 / 먹으세요 / 먹으십시오

LA VOIX PASSIVE

MP3 (35)

엄마가 철수를 혼냈어요 Maman a grondé Cheol-Su.	철수가 엄마에게 혼났어요. Cheol-Su est grondé par maman.
VOIX ACTIVE	**VOIX PASSIVE**

- Le complément devient le sujet.
  엄마가 철수를 혼냈어요. -> **철수**가 엄마에게 혼났어요.

- Le verbe change sa forme de la voix active à la voix passive.
  혼**냈어요** (grondé) -> 혼**났어요** (est grondé)

- Le sujet actif devient un agent passif par lequel une action se réalise.
  (엄마**가** -> 엄마**에게**) Ici, vous pouvez vous dire que "**에게**" équivaut à "par".

Pour un **agent animé**, utilisez "**한테/에게**" pour les situations courantes/familières mais toujours "**께**" pour les situations de politesse (par exemple, en se référant à des personnes âgées, des parents, des personnes de la hiérarchie, etc.).

MP3 (37)

Exemples)

Ça signifie également "à" selon le contexte (par exemple : "친구한테 선물을 주었다. J'ai donné un cadeau à un ami."). Nous l'apprendrons plus tard.

여우가 토끼를 먹었다. Un renard a mangé un lapin.
-> 토끼가 여우**한테** 먹혔다. Un lapin a été mangé **par** un renard.

할아버지가 도둑을 쫓았다. Un grand-père a chassé un voleur.
-> 도둑이 할아버지**께** 쫓겼다. Un voleur a été chassé **par** un grand-père.

Pour un **agent inanimé**, utilisez "**에**".

Exemples)

태양이 얼음을 녹였어요. Le Soleil a fait fondre la glace.
-> 얼음이 태양**에** 녹았어요. La glace a été fondue **par** le Soleil.

Pour les **agents animées ET inanimés**, vous pouvez également utiliser "**-에 의해 par**". Mais gardez à l'esprit que parfois cela peut sonner bizarre selon le contexte. Vous apprendrez cette différence au fur et à mesure.

Exemples)

인부가 집을 지었다. Un travailleur a construit une maison.
-> 집이 인부에 **의해** 지어졌다. Une maison a été construite **par** un travailleur.

생각이 세상을 바꾸었다. L'idée a changé le monde.
-> 세상이 생각에 **의해** 바뀌었다. Le monde a été changé **par** l'idée.

Voici quelques règles générales et types de verbes à la voix passive.

Comme d'habitude, il y a des exceptions à celles-ci, mais vous vous en habituerez au fur et à mesure que nous apprendrons d'avantage.

RADICAL + 어지다 / 아지다/ 지다

Retournez à la leçon de conjugaison pour un rappel rapide !

Pour les adjectifs :

Forme de base de l'adjectif	Verbe descriptif	Passé	Présent continu à la voix passive
높은 Haut	높아지다 S'élever	높아졌다 S'être élevé	높아지고있다 En train de s'élever
아름다운 Beau	아름다워지다 S'embellir	아름다워졌다 S'être embelli	아름다워지고있다 En train de s'embellir

De même pour les verbes :

Forme de base du verbe	Base à la voix passive	Passé à la voix passive	Présent continu à la voix passive
주다 Donner	주어지다 Être donné	주어졌다 Avoir été donné	주어지고있다 En train d'être donné
켜다 Allumer	켜지다 Être allumé	켜졌다 Avoir été allumé	켜지고있다 En train d'être allumé

RADICAL + 이다

- Pour les radicaux sans 받침 batchim.
- Pour les radicaux avec les 받침 batchims "ㅎ", "ㄲ", "ㅍ".

Forme de base du verbe	Base à la voix passive	Passé à la voix passive	Présent continu à la voix passive
모으다 Réunir	모이다 Être réuni	모였다 (모이+었다) Avoir été réuni	모이고있다 En train d'être réuni
바꾸다 Changer	바뀌다 (바꾸+이다) Être changé	바뀌었다 Avoir été changé	바뀌고있다 En train d'être changé
쌓다 Empiler	쌓이다 Être empilé	쌓였다 Avoir été empilé	쌓이고있다 En train d'être empilé
섞다 Mélanger	섞이다 Être mélangé	섞였다 Avoir été mélangé	섞이고있다 En train d'être mélangé
덮다 Couvrir	덮이다 Être couvert	덮였다 Avoir été couvert	덮이고있다 En train d'être couvert

RADICAL + 히다

- Pour les radicaux avec les 받침 batchims "ㄱ", "ㄷ", "ㅂ", ㅈ.

Forme de base du verbe	Base à la voix passive	Passé à la voix passive	Présent continu à la voix passive
읽다 Lire	읽히다 Être lu	읽혔다 (읽히+었다) Avoir été lu	읽히고있다 En train d'être lu
닫다 Fermer	닫히다 Être fermé	닫혔다 Avoir été fermé	닫히고있다 En train d'être fermé
밟다 Marcher dessus	밟히다 Être marché dessus	밟혔다 Avoir été marché dessus	밟히고있다 En train d'être marché dessus
잊다 Oublier	잊히다 Être oublié	잊혔다 Avoir été oublié	잊히고있다 En train d'être oublié

RADICAL + 리다

Pour les radicaux avec le batchim "ㄹ" ou les verbes irréguliers dont le batchim change en "ㄹ" lorsqu'ils sont conjugués ("듣다" → "들어").

Forme de base du verbe	Base à la voix passive	Passé à la voix passive	Présent continu à la voix passive
밀다 Pousser	밀리다 Être poussé	밀렸다 Avoir été poussé	밀리고있다 En train d'être poussé
듣다 Entendre	들리다 Être entendu	들렸다 Avoir été entendu	들리고있다En train d'être entendu
부르다 Chanter	불리다Être chanté	불렸다Avoir été chanté	불리고있다 En train d'être chanté

RADICAL + 기다

Pour les radicaux avec un batchim qui ne change pas de son lorsqu'il est placé devant "ㅎ" (généralement "ㅁ", "ㄴ", "ㅅ", "ㅊ").

Forme de base du verbe	Base à la voix passive	Passé à la voix passive	Présent continu à la voix passive
감다 Enrouler	감기다 Être enroulé	감겼다 (감기+었다) Avoir été enroulé	감기고있다 En train d'être enroulé
안다 Serrer dans les bras	안기다 Être serré	안겼다 Avoir été serré	안기고있다 En train d'être serré
벗다 Brosser	벗기다 Être brossé	벗겼다 Avoir été brossé	벗기고있다 En train d'être brossé
쫓다 Chasser	쫓기다 Être chassé	쫓겼다 Avoir été chassé	쫓기고있다 En train d'être chassé

RADICAL + 하다 / 되다

Alors que "하다" décrit l'action, "되다" décrit l'objet sur lequel l'action est réalisée.

포함하다 (Inclure) vs. 포함되다 (Être inclus) | 생각하다 (Penser) vs. 생각되다 (Être pensé)

새로운 그룹이 선희를 포함했다. Le nouveau groupe a inclus Seon-Hee.
선희가 새로운 그룹에 포함되었다. Seon-Hee a été incluse dans le nouveau groupe.

RADICAL + 내다 / 나다

Alors que "내다" décrit le sujet qui réalise l'action, "나다" décrit l'objet sur lequel l'action est réalisée.

고장내다 (Casser) vs. 고장나다 (Être cassé)| 끝내다 (Terminer) vs. 끝나다 (Être terminé)

철수가 컴퓨터를 고장냈다.Cheol-su a cassé l'ordinateur.
컴퓨터가 고장났다. L'ordinateur a été cassé (par Cheol-su).

철수가 숙제를 끝냈다. Cheol-Su a terminé les devoirs.
숙제가 끝났다. Les devoirs ont été terminés (par Cheol-Su).

Pas forcément tous les mots se terminant par "내다" ont un équivalent en verbe "나다" (et vice versa), ni les mots se terminant en "하다" un équivalent en verbe "되다" (et vice versa).

Par exemple, "돈내다 (payer)" est un mot, mais "돈나다" n'est pas un mot.
De même, "공부하다 (étudier)" est un mot, mais "공부되다" n'est pas un mot.

Vous devez les apprendre au cas par cas, mais "내다/나다" et "하다/되다" sont les types les plus courants.

PARTICULES ESSENTIELLES CORÉENNES

Particules	Exemple (coréen)	Exemple (français)
들 (marque du pluriel)	고양이들	chats
만 (seulement)	사람들만	seulement les hommes / les hommes seulement
관해서 (au sujet de)	음식에 관해서	au sujet de la nourriture
위해서 (pour)	너를 위해서	pour toi
과/와 함께 (avec) "과" pour les mots se terminant avec une consonne finale "와" pour les mots se terminant par une voyelle	구름과 함께 너와 함께	Avec le nuage Avec toi

QUIZ D'ENTRAÎNEMENT

Transformez les phrases suivantes à la voix active en des phrases à la voix passive.

경찰이 도둑을 잡았다. -> _____이 _____ 에게 ______.
La police a attrapé le voleur. → Le voleur a été attrapé par la police.

코끼리가 거북이를 밟았다. -> _____가 _____ 한테 ______.
L'éléphant a marché sur la tortue. → La tortue a été marchée dessus par l'éléphant.

bonne réponse : 도둑이 경찰에게 잡혔다. / 거북이가 코끼리에게 밟혔다.

Choisissez entre "**한테/에/게/께**" pour les phrases suivantes.

1. 철수가 나쁜 친구_____ 맞았다.
Cheol-Su a été frappé par un mauvais ami.

2. 고양이가 개_____ 물렸다.
Le chat a été mordu par le chien.

3. 나뭇잎이 바람_____ 날렸다.
La feuille a été soufflée par le vent.

4. 유리가 망치_____ 깨졌다.
La glace a été cassée par un marteau.

inanimé

5. 신입사원이 사장님_____ 혼났다.
Le nouvel employé a été réprimandé par le président.

6. 학생이 젊은 선생님_____ 교육받았다.
L'élève a été éduqué par le jeune enseignant.

bonne réponse : 1. 한테/에게 2. 한테/에게 3. 에 4. 에 5. 께 6. 께

Utilisez **"-에 의해"** pour convertir les phrases suivantes à la voix active en des phrases à la voix passive.

노력이 좋은 결과를 만들었다. -> _____가 _____ 에 의해 ______.
L'effort a donné un bon résultat. → Un bon résultat a été donné par l'effort.

구름이 태양을 가렸다. -> _____이 _____ ______.
Le nuage a couvert le Soleil. → Le Soleil a été couvert par le nuage.

bonne réponse: 좋은 결과가 노력에 의해 만들어졌다. / 태양이 구름에 의해 가려졌다.

Choisissez entre **"하다/되다"** pour remplir les blancs.

기억_____ (Rappeler) vs. 기억_____ (être rappelé)
파괴_____ (Détruire) vs. 파괴_____ (être détruit)
수용_____ (Accepter) vs. 수용_____ (être accepté)
거절_____ (Refuser) vs. 거절_____ (être refusé)

bonne réponse: 하다 / 되다
되다 / 하다
하다 / 되다
되다 / 하다

Choisissez entre **"내다/나다"** pour remplir les vides.

혼_____ (Être grondé) vs. 혼_____ (gronder)
드러_____ (Être exposé) vs. 드러_____ (exposer)
나타_____ (Apparaître) vs. 나타_____ (être apparu)

bonne réponse: 나다/내다
나다/내다
내다/나다

LE LIEU ET L'ESPACE "-에서/-부터" ET "-까지"

Combien de temps cela prendrait-il **de** Seoul **à** Busan ?
Je devrais aller au lit tôt.

J'ai dormi **d'**hier **jusqu'à** maintenant !

Comme vous pouvez le voir, la même particule française **"de"** a deux variations en coréen, qui sont **"부터"** et **"에서"**.

Comme règle générale, **"부터"** est souvent utilisé pour le **TEMPS** alors que **"에서"** est utilisé pour le **LIEU**.

Mais la plupart du temps, ils sont **interchangeables**, comme illustré ci-dessous.

LIEU	TEMPS
D'ici **À** là	**DE** dimanche **À** lundi
여기**에서** 저기**까지** (O)	일요일**부터** 월요일**까지** (O)
여기**부터** 저기**까지** (O)	일요일**에서** 월요일**까지** (O)

Alors voyons **quand ils sont interchangeables ou non.**

Tout d'abord, les exceptions arrivent quand on parle de **TEMPS**.

Quand vous parlez d'un temps spécifique avec des chiffres, comme "2시 (14 heures)", "5월 (le mois de mai)", ou d'une année particulière comme "2021년", ou d'un jour spécifique de la semaine comme "일요일 (dimanche)", ou une date d'un mois comme "19일 (le 19ème jour/jour 19)", vous pouvez utiliser "부터" et "에서" de manière interchangeable.

Pourquoi pour les jours de la semaine, bien qu'ils n'aient pas de chiffre, utilise-t-on "부터" et "에서" ?

C'est tout simplement parce que c'est comme les mois de l'année. Par exemple, le mois de mai est traité comme un chiffre. C'est pourquoi on dit "5월" en coréen ("le 5ème mois"). De même pour les jours de la semaine.

"월요일 (lundi)" est traité comme "le premier jour de la semaine", même s'il ne signifie pas littéralement cela. C'est présumé. Les règles ne s'appliquent donc pas ici.

Inversement, quand vous parlez du temps sans chiffre comme "작년 (l'année dernière)", "어제 (hier)", alors vous devez utiliser seulement "부터".

De plus, quand vous utilisez des mots comme "전 (avant)", "후 (après)", "지나서 (passé)", vous utilisez uniquement "부터" **même s'il y a un chiffre spécifique**. Regardez les exemples ci-dessous.

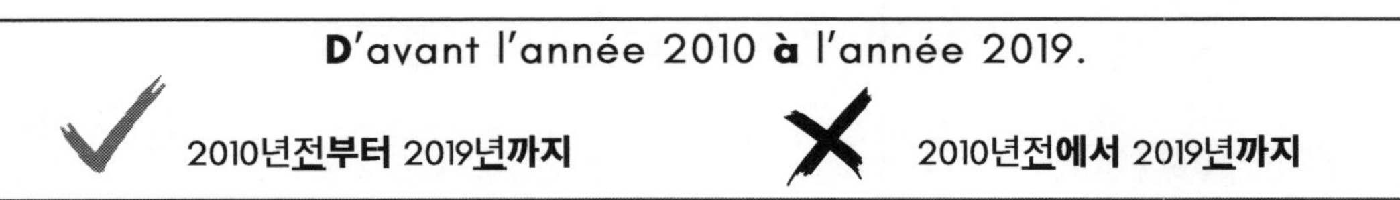

Regardons quelques exemples pour vous aider à comprendre.

Nom + "에서" = lieu		
	미국**에서** 한국**까지**.	**Des** États-Unis **à** la Corée.
	학교**에서** 집**까지**.	**De** l'école **à** la maison.
a	9시**에서** 10시**까지**	**De** 9 heures **à** 10 heures.
b	10살**에서** 11살**까지**	**De** l'âge de 10 ans **à** 11 ans.
c	3번째 페이지**에서** 9번째 페이지**까지**	**De** la 3ème page **à** la 9ème page.

Nom + "부터" = temps		
	어제**부터** 내일**까지**	**D'**hier **à** demain.
	언제**부터** 언제**까지**?	**De** quand **à** quand ?
a	9시**부터** 10시**까지**	**De** 9 heures **à** 10 heures.
b	10살**부터** 11살**까지**	**De** l'âge de 10 ans **à** 11 ans.
c	3번째 페이지**부터** 9번째 페이지**까지**	**De** la 3ème page **à** la 9ème page.

Vous pouvez clairement voir leurs utilisations, ainsi que quand ils sont interchangeables.
Les exemples a/b/c sont interchangeables.

Par ailleurs, "까지" signifiait à la fois "à" (lieu) et "à/jusqu'à" (temps et lieu) et "d'ici à" (temps uniquement).

Nom + "까지" = à/jusqu'à (temps et lieu) / "d'ici à" (temps uniquement)	
토요일까지 공부 할겁니다.	Je vais étudier **jusqu'à** samedi.
뉴욕까지 얼마나 걸립니까?	Combien de temps cela prend-il **jusqu'à** New York ?
내일까지 하겠습니다.	Je le ferai **d'ici** demain.

QUIZ D'ENTRAÎNEMENT

Remplissez les blancs avec soit "에서", soit "부터", ou les deux.

1. 오늘________ 내일까지 잠 잘거야.
Je vais dormir d'aujourd'hui à demain.

2. 여기________ 거기까지 몇 시간 걸리나요?
D'ici à là, combien d'heures cela prend-il ?

3. 지금_______ 저녁까지 뭐 할 거예요?
De maintenant à ce soir, qu'est-ce que tu vas faire ?

4. 어렸을 때 ________ 지금까지, 우유를 사랑합니다.
De quand j'étais petit jusqu'à maintenant, j'adore le lait.

5. 공항________ 호텔까지 몇 시간 걸리나요?
De l'aéroport à l'hôtel, combien d'heures cela va-t-il prendre ?

6. 3시________ 5시까지 운동 할 거예요.
Je vais faire du sport de 15 heures à 17 heures.

7. 2번째 페이지________ 34번째 페이지까지.
De la 2ème page à la 34ème page.

bonne réponse: 1. 부터 2. 에서 3. 부터 4. 부터 5. 에서 6. BOTH 7. BOTH

Lisez les phrases et regardez si "에서"/"부터" sont correctement utilisés (O) ou non (X).

1. 서울부터 부산까지 5시간 걸려요.
De Séoul à Busan, cela prend cinq heures.

2. 지금에서 아침까지 기다릴게요.
De maintenant au matin, je vais attendre.

3. 내일부터 모레까지!
De demain jusqu'à après-demain !

4. 4시에서 11시까지!
De 16 heures à 23 heures !

bonne réponse: 1. X 2. X 3. O 4. O

LES NOMBRES EN CORÉEN

Un, deux, trois... Nous aimerions tous qu'apprendre le coréen soit aussi simple que compter, n'est-ce pas ? Mais vous pourriez vouloir mettre cette idée de côté car...

Il y a deux façons de compter en coréen !

Un peu de contexte à ce sujet : les mots coréens ont ce que l'on appelle des mots sino-coréens et des mots purement coréens. Les premiers font référence aux mots qui sont fondés sur les caractères chinois traditionnels, vu que la Corée dans le passé n'avait pas son propre système d'écriture et devait donc se reposer sur le système chinois. En conséquence, les Coréens ont adopté beaucoup de vocabulaires fondés dessus. Mais parce que les Coréens avaient leur propre manière de les lire, la prononciation est différente de celle des Chinois.

漢字　우리말

Oh, et ne vous inquiétez pas : ce n'est pas la peine d'apprendre les caractères chinois car ils sont tous transcrits avec l'alphabet coréen, le Hangul (le Roi Sejong le Grand a inventé une collection unique de systèmes alphabétiques, ce que nous avons appris au début du livre, en 1443).

La rapide leçon d'histoire passée, commençons à compter en coréen !

sino-coréens			purement coréens	
0	영 (공)			
1	일		하나	
2	이		둘	
3	삼		셋	
4	사		넷	
5	오		다섯	
6	육		여섯	
7	칠		일곱	
8	팔		여덟	
9	구		아홉	
10	십		열	
11	십일	십+일 (10) + (1)	열하나	열+하나 (10) + (1)
12	십이	십+이 (10) + (2)	열둘	열+둘 (10) + (2)
13	십삼	십+삼 (10) + (3)	열셋	열+셋 (10) + (3)
14	십사	십+사 (10) + (4)	열넷	열+넷 (10) + (4)
15	십오	십+오 (10) + (5)	열다섯	열+다섯 (10) + (5)
20	이십	이+십 (2)+ (10) **twen+TY**	스물	
21	이십일	이십+일 (20) + (1) **twenty + one**	스물하나	스물+하나 (20) + (1)
30	삼십	삼+십 (3) + (10) **thir+TY**	서른	
40	사십	사+십 (4) + (10) **for+TY**	마흔	
50	오십	오+십 (5) + (10) **fif+TY**	쉰	
60	육십	육+십 (6) + (10) **six+TY**	예순	
70	칠십	칠+십 (7) + (10) **seven+TY**	일흔	
80	팔십	팔+십 (8) + (10) **eigh+TY**	여든	
90	구십	구+십 (9) + (10) **nin+TY**	아흔	
100	백		온	
1,000	천		즈믄	
10,000	만		골	
100,000	십만	십+만 (10) + (10,000)	열골/열거믄	
1,000,000	백만		온골/온거믄	

Les chiffres sino-coréens

Connaître les chiffres de 0 à 10 est la moitié du boulot fait, parce qu'il s'agit simplement de mettre le chiffre de la dizaine et le chiffre de l'unité ensemble !

11 십일 (10) + (1)
12 십이 (10) + (2)
13 십삼 (10) + (3)
14 십사 (10) + (4)

Chiffre de la dizaine / chiffre de l'unité

Remarquez sur le tableau qu'à chaque dizaine, le mot pour le chiffre de la dizaine change dans le même ordre que 1-9, suivi du mot "십 dix". En effet, c'est exactement la même chose qu'en anglais.

20 vingt est "이십 (이 deux + 십 dix)" → two + ten = twen + ty
30 trente est "삼십 (삼 trois + 십 dix)" → three + ten = thir + ty
40 quarante est "사십 (사 quatre + 십 dix)" → four + ten = four + ty

D'où :

21 이십일 (20) + (1)
34 삼십사 (30) + (4)

Et ainsi de suite.

100 "백 cent" est un mot unique, à la place de "십십 10 + 10".
De même pour 1 000 "천 mille" et 10 0000 "만 dix mille".

200 "이백" : deux + cents
340 "삼백사십" : (trois + cents) + (quatre + dix)
592 "오백구십이" : (cinq + cents) + (neuf + dix) + (deux)

Lorsque les nombres sont transcrits en coréen, il faut mettre un espace tous les "만 (dix mille)".

6 132 "육천백삼십이" : (six + mille) + (cent) + (trois + dix) + (deux)

78 232 "칠만 팔천이백삼십이" : (sept + dix mille) + (huit + mille) + (deux + cent) + (trois + dix) + (deux)

Lorsque les nombres sont transcrits en coréen, il faut mettre un espace aux "만 (dix mille)".

칠만팔천이백삼십이 (X) 칠만∧팔천이백삼십이 (O)

Tout comme 10 servait de base pour les dizaines, maintenant
"만 10 000" fait la même chose pour 100 000, 1 000 000 et 10 000 000.

"Combien de "dix mille" ?"

C'est-à-dire :

10 000 "만" (dix mille = 1 dix mille)
100 000 "십만" (dix + dix mille)
1 000 000 "백만" (cent + dix mille)
10 000 000 "천만" (mille + dix mille)

Cela peut être très déroutant puisqu'en français 1 000 sert de base pour compter.

10 000 dix mille / 100 000 cent mille

Alors c'est plus simple de penser que les Coréens mettent une virgule tous les quatre zéros et le lisent "만".

Par exemple :

1,0000 "만" / 10,0000 "십만", Vous avez compris l'idée !

Maintenant, lisons un gros nombre !

83,924,315 "팔천삼백구십이만 사천삼백십오"

Techniquement, c'est "일백/일천/밀만/일십만" pour "100/1 000/10 000/100 000", mais il est communément dit "백/천/만/십만/…".

Donc, à la place de "un cent", on dit "cent" et ainsi de suite. Mais dans les documents officiels comme un contrat, c'est épelé en entier pour l'exactitude.

Les nombres purement coréens

Les chiffres purement coréens sont assez faciles à maîtriser également, parce qu'il s'agit également de mettre les chiffres ensemble, et vous avez juste besoin de connaître les nombres de 1 à 99 puisqu'il n'y a pas de mot pour 0 en coréen pur, et pour 100 et plus, il y a des mots coréens purs archaïques qui ne sont quasiment jamais utilisés (moins de travail pour nous, youpi !).

C'est très important car après 100, ce sont les nombres sino-coréens qui sont utilisés pour compter, même ceux comptés avec les mots purement coréens (plus de détails sur la page suivante).

En regardant le tableau, nous pouvons rapidement apprendre à compter de 1 à 10.

Et de 11 à 19, c'est exactement pareil parce que vous additionnez essentiellement :

"열하나" : dix + un
"열둘" : dix + deux
"열셋" : dix + trois
Et ainsi de suite.

Maintenant vous n'avez qu'à apprendre les dizaines,
qui n'ont pas de règles particulières et qui ont leur nom à eux.

C'est-à-dire :

À la place de "둘열", c'est "스물"
À la place de "셋열", c'est "서른"
À la place de "넷열", c'est "마흔".

Apprenez-les simplement puisqu'il n'y en a que 9 !

Mais encore une fois, les nombres combinés comme 13, 25, 39, 54 sont les mêmes que les nombres sino-coréens.

13 열셋 (10) + (3)
25 스물다섯 (20) + (5)
39 서른아홉 (30) + (9)
54 쉰넷 (50) + (4)

Très bien ! Apprenons quand utiliser lequel ! Mais avant de continuer, il y a un concept très important que vous devez connaître, qui est le "mot de comptage".

En coréen, lorsque l'on compte, les mots (sujet/objet) ont un "mot de comptage", un peu comme une unité de mesure. Voici les exemples courants :

	sino-coréens		purement coréens	
Jours	일	삼일 (trois **jours**)	*	
Mois	월	삼월 (**mois** 3 = **mars**)		
Mois (Durée)	개월	일개월 (un **mois**)	달	한 **달** (un **mois**)
Années	년	이년 (deux **ans/année** 2)	해	두 **해** (deux **ans**)
Temps	분	삼 분 (trois **minutes**)	시	세 **시** (trois **heures**)
Personnes/Personne	인	십일인 (onze **personnes**)	명/분	열한 **명** (onze **personnes**) 열한 **분** (onze **personnes**, honorifique)
Étage(s)	층	일층 (premier **étage**)	층	한 **층** (un **étage**)
Des choses			개	OOO 네 **개** (quatre ooo)
Animaux			마리	개 다섯 **마리** (cinq **chiens**)
Tranches/Parts			조각	피자 여섯 **조각** (six **parts** de pizza)
Livres			권	책 일곱 **권** (sept **livres**)
Vêtements			벌	정장 여덟 **벌** (huit **costumes**)
Papiers/Feuilles			장	아홉 **장** (neuf **feuilles**)
Véhicules			대	비행기 열 **대** (dix **avion**)

Comme mentionné brièvement avant, lorsqu'un nombre va au-dessus de 100, les nombres sino-coréens sont utilisés pour compter.

Même avec ceux qui utilisent les mots purement coréens, parce que les nombres purement coréens ne vont que jusqu'à 99.

Par exemple :

"아흔 아홉 **대** quatre-vingt-dix-neuf **véhicules**" vs "백삼십사 **대** cent trente-quatre **véhicules**"
"열세 **명** treize **personnes**" vs "이백삼십사 **명** deux cents trente-quatre **personnes**"

Quelques éléments à noter ici.

Lorsque l'on compte en utilisant les nombres purement coréens, les cinq nombres suivants changent de forme lorsqu'ils sont utilisés DEVANT un mot de comptage.

하나 -> 한 / 둘 -> 두 / 셋 -> 세 / 넷 -> 네 / 스물 -> 스무

Par exemple :

"강아지 **하나** un chiot" ← lorsque le mot de comptage "마리" n'est pas utilisé
(grammaticalement incorrect mais a toujours un sens)

vs.

"강아지 **한** 마리" ← ici, "마리" est correctement utilisé et "하나" devient "한"
et vient avant le mot de comptage "마리".

De même, vous pourriez dire "어른 하나 (un adulte)", "피자 다섯 (cinq pizzas)" sans le mot de comptage correct "어른 한 **명** (une **personne** adulte)" et "피자 다섯 **조각** (cinq **parts** de pizzas)" et cela a toujours un sens.

C'est comme dire "nous voudrions cinq eaux". C'est techniquement incorrect, néanmoins cela veut toujours dire quelque chose.

Gardez simplement à l'esprit la manière dont les formes changent "하나 → 한", "둘 → 두" et ainsi de suite.

En français, les mots comme jour, mois, année, minute, heure, personne, étage, part sont des mots de comptage.

Vous ne devriez donc pas avoir de problème pour comprendre le concept.

Ce qui peut toutefois vous perturber est les autres types de mots de comptage comme "마리" pour les animaux, "권" pour les livres, "대" pour les véhicules parce que ces sujets/objets n'ont pas de mot spécifique de comptage.

C'est-à-dire, vous ne diriez pas "dix avions véhicules" mais "dix avions". En coréen, c'est "대", donc "비행기 열 **대**" est "dix avions **véhicules**".

De même pour "마리" pour les animaux.

Vous ne diriez pas "cinq chiens animaux" mais "cinq chiens". Pas de mot de comptage pour les animaux non plus (mais bien sûr, il y a des termes comme "un banc de poissons", mais pas de manière générale).

"개 다섯 마리" est donc "cinq chiens animaux" en coréen. Cela peut sonner bizarre, mais sachez que c'est exactement le même concept que les autres mots de comptage en français
("six pizzas" vs "six parts de pizzas").

En regardant le tableau, il y a quelques mots de comptage qui sont utilisés en sino-coréen ET en coréen pur, comme "층".

Cependant, notez qu'ils peuvent avoir différents sens : "일층" signifie "étage un", décrivant le lieu, alors que "한 층" signifie "un étage", décrivant la quantité. Un autre exemple (qui n'est pas dans le tableau) est "번", utilisé pour les nombres.

"일번" signifie "numéro un", alors que "한 번" signifie "une fois". Certains mots, lorsqu'interchangeables, peuvent avoir des significations complètement différentes, alors soyez à l'affût de cela. Mais vous n'avez pas besoin de les apprendre par cœur comme si vous prépariez un examen.

Vous les aurez au fur et à mesure que nous progressons !

A: Excusez-moi ! Où sont les toilettes ?
B: Montez au 9ème étage.

A: Excusez-moi ! Où sont les toilettes ?
B: Montez 9 étages.

Pour le coréen pur, les sections des jours/mois sont laissées vides, parce qu'ils ne suivent pas la règle générale décrite dans le tableau et nécessitent un tableau séparé pour eux.

	sino-coréens	purement coréens
janvier	일월	정월
février	이월	
mars	삼월	
avril	사월	
mai	오월	
juin	유월	
Juillet	칠월	
août	팔월	
septembre	구월	
octobre	시월	
novembre	십일월	동짓달
décembre	십이월	섣달

*Techniquement, "**육월/십월**" sont corrects,
mais ils sont devenus "**유월/시월**" parce qu'ils sont plus faciles à prononcer.

Compter les jours en coréen pur			
Jour 1 / Un Jour	초하루 / 하루	Jour 16 / 16 Jours	열엿새
Jour 2 / 2 Jours	이틀	Jour 17 / 17 Jours	열이레
Jour 3 / 3 Jours	사흘	Jour 18 / 18Jours	열여드레
Jour 4 / 4 Jours	나흘	Jour 19 / 19 Jours	열아흐레
Jour 5 / 5 Jours	닷새	Jour 20 / 20 Jours	스무날
Jour 6 / 6 Jours	엿새	Jour 21 / 21 Jours	스물하루
Jour 7 / 7Jours	이레	Jour 22 / 22Jours	스무이틀
Jour 8 / 8 Jours	여드레	Jour 23 / 23 Jours	스무사흘
Jour 9 / 9 Jours	아흐레	Jour 24 / 24 Jours	스무나흘
Jour 10 / 10 Jours	열흘	Jour 25 / 25 Jours	스무닷새
Jour 11 / 11 Jours	열하루	Jour 26 / 26 Jours	스무엿새
Jour 12 / 12 Jours	열이틀	Jour 27 / 27 Jours	스무이레
Jour 13 / 13 Jours	열사흘	Jour 28 / 28 Jours	스무여드레
Jour 14 / 14 Jours	열나흘	Jour 29 / 29 Jours	스무아흐레
Jour 15 / 15 Jours	열닷새 (보름)	Jour 30 / 30 Jours	그믐
		Jour 31 / 31 Jours	*Non applicable car le système du calendrier lunaire n'a pas de 31ème jour.

Okay, alors quand utiliser lequel ?

Les chiffres sino-coréens

*Ce sont les “mots de comptage”.

Dire la date.
일월 **일**일 (mois 1, jour 1 = 1er janvier)

Dire des nombres spécifiques (numéros de téléphone, numéros d’appartement, etc.).

이이일-삼일삼사 (221-3134)
십육동 **이십삼**호 (immeuble 16, appartement 23)

Compter les jours :
일일 (1 jour / jour 1), **이**일 (2 jours / jour 2), **삼**일 (3 jours / jour 3)

Compter les années :
일년 (1 année / année 1), **이**년 (2 années / année 2), **이천이십**년 (2020 années / année 2020).

Compter les mois :
일 개월 (1 mois),

Compter l’argent :
삼만 구천원 (39,000 Won)

Les nombres purement coréens

Quand on compte des choses qui ne sont pas mentionnées ci-dessus et qui ne sont pas interchangeables avec les mots sino-coréens.

조약돌 **하나** "un caillou" 조약돌 **한** 개 "un caillou chose"

*C’est un mot de comptage.

QUIZ D'ENTRAÎNEMENT

Lesquels des nombres suivants sont-ils sino-coréens ?

하나 / 이 / 셋 / 넷 / 오 / 육 / 일곱 / 여덟 / 구 / 열

bonne réponse : 이 / 오 / 육 / 구

Lesquels des nombres suivants sont-ils purement coréens ?

십 / 열 / 십일 / 열둘 / 십삼 / 열여섯 / 이십 / 스물

bonne réponse : 열 / 열둘 / 열여섯 / 스물

Écrivez les nombres suivants en utilisant des nombres sino-coréens.

8 / 39 / 88 / 93 / 100 / 115 / 831

bonne réponse : 팔 / 삼십구 / 팔십팔 / 구십삼 / (일)백 / (일)백십오 / 팔백삼십일

Écrivez les nombres suivants en utilisant des nombres purement coréens.

8 / 39 / 88 / 93 / 100 / 115 / 831

bonne réponse : 여덟 / 서른아홉 / 아흔셋 / NA / NA / NA

Pour les phrases suivantes, choisissez la traduction correcte.

3 jours 삼일 | 사흘 | BOTH

3 mois 삼개월 | 세 달 | BOTH

3 années 삼년 | 세 해 | BOTH

Étage 1 일층 | 한 층 | BOTH

9 chiens 개 구 마리 | 개 아홉 마리 | BOTH

5 livres 책 오 권 | 책 다섯 권 | BOTH

bonne réponse: BOTH / BOTH / BOTH / 일층 / 개 아홉 마리 / 책 다섯 권

Pour les éléments suivants, choisissez le mot de comptage correct.

15 oiseaux 새 다섯 ( )

3 tranches de pain 빵 세 ( )

20 feuilles de papier 종이 스무 ( )

8 vélos 자전거 여덟 ( )

bonne réponse: 마리 / 조각 / 장 / 대

Dire l'heure en coréen.

Très bien ! Grâce au dur entraînement que nous avons eu sur le comptage des nombres, nous pouvons facilement apprendre comment dire l'heure en coréen.

Vous avez juste besoin de savoir les mots de comptage :

"시" pour l'heure / **"분"** pour la minute / **"초"** pour la seconde

La règle est :
Les **heures** sont en coréen pur ;
Les **minutes** et les **secondes** sont en sino-coréen !

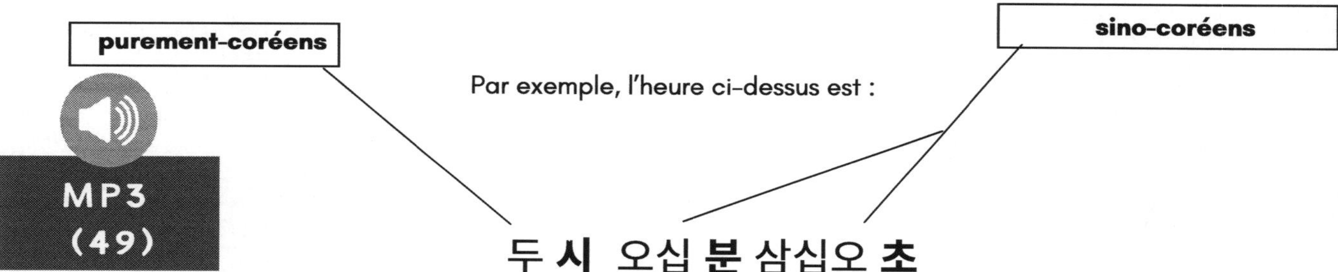

Par exemple, l'heure ci-dessus est :

두 **시** 오십 **분** 삼십오 **초**

Deux **heures**, cinquante **minutes**, trente-cinq **secondes.** 2:50:35

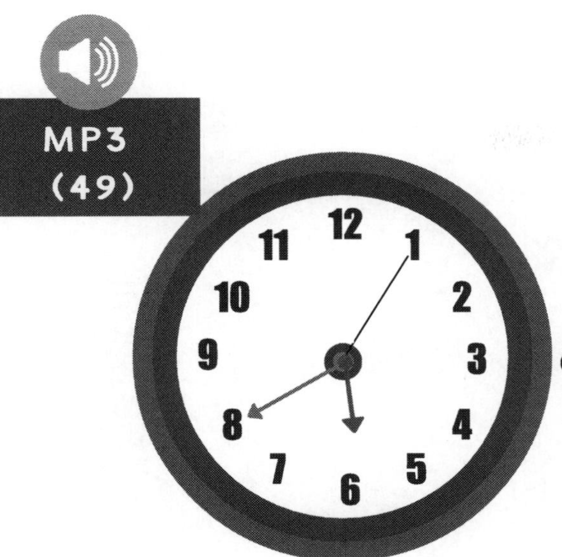

Un autre exemple :

다섯 **시** 사십 **분** 오 **초**
Cinq **heures**, quarante **minutes**, cinq **secondes**.
5:40:05

Vous vous demandez peut-être s'il y a d'autres manières de dire l'heure, comme "cinq heures moins quart" ou "dix heure et demie" en français ?

Il y en a, mais il n'y a pas de "quart", et seulement "avant" et "demie" sont utilisés.

"**전** avant" : "여섯 **시** 십오 **분** 전" ← 15 **minutes** avant 6 **heures** (= pas de "quart" avant 6).

"**반** demie" : "일곱 **시** 반" ← 7 **heures** et "demie".

"Demie" n'est jamais utilisé seul pour signifier "trente minutes avant",
mais peut être utilisé en conjonction avec "**시간** heure".

C'est-à-dire, 반 **전** 세**시** "demie avant trois heures" (X) <- ne peut être utilisé seul.

*Le "temps cible" est placé à la fin.

두 **시간** 반 **전** 세 **시** (O)

*Lors que l'on compte les heures, c'est "시간" et non "시".

Et oui, il est tout à fait normal d'utiliser "**삼심 분**" au lieu de "demie".

세 **시** 삼십 **분** 전

Les manières de dire l'heure

정각 (heure exacte)
세 시 정각
trois heures **tapantes**

오전 (du matin)
오전 9시
neuf heures du matin

정오 (midi)

12:00 PM

오후 (après-midi)
오후 9시
neuf heures du soir

"오" signifie "jour/journée" en sino-coréen, "오전 (a.m.)" est alors "avant le jour" et "오후 (p.m.)" est "après le jour".

QUIZ D'ENTRAÎNEMENT

Quelle heure est-il ? Écrivez l'heure montrée ci-dessous sous chaque horloge en coréen.

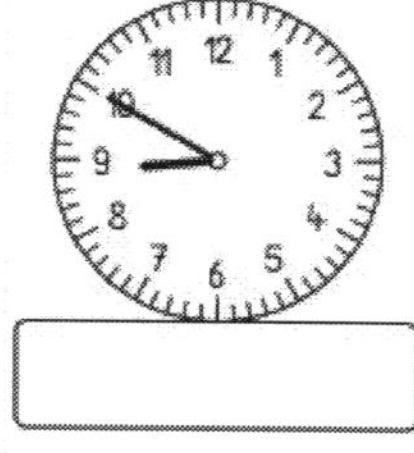

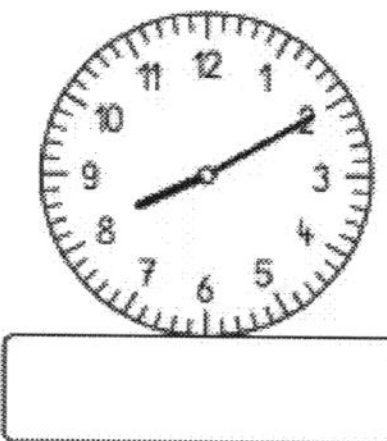

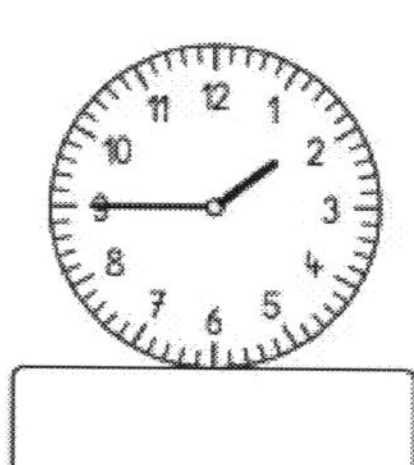

bonne réponse : 여덟 시 오십 분 / 여덟 시 십 분 / 한 시 사십오 분

Dessinez les aiguilles de l'horloge.

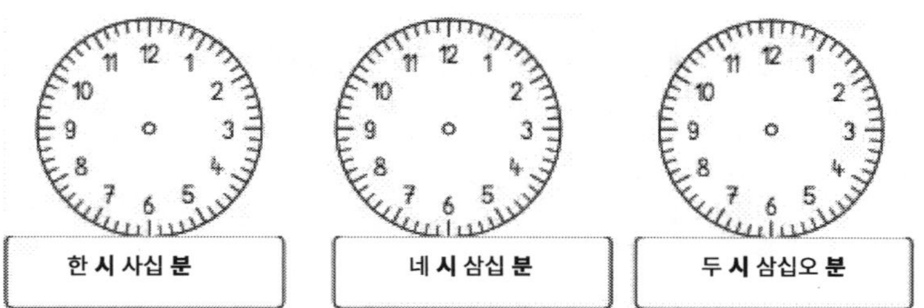

bonne réponse :

Écrivez le temps en coréen en utilisant "반/정각".

bonne réponse : 두 시 반 / 열한 시 정각 / 열두 시 반
여덟 시 반 / 열 시 반 / 일곱 시 반

Écrivez le temps en coréen en utilisant "전".

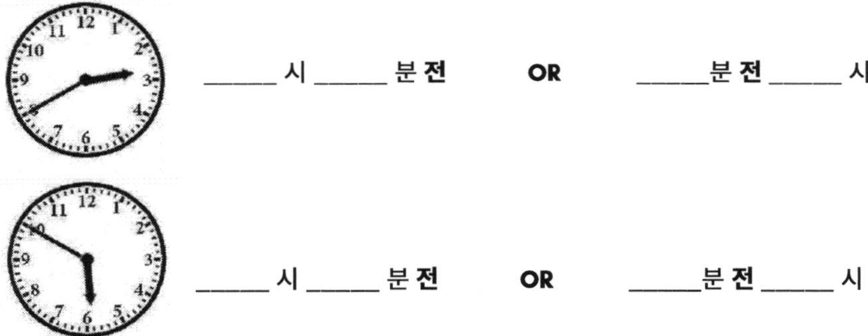

_____ 시 _____ 분 **전** **OR** _____분 **전** _____ 시

_____ 시 _____ 분 **전** **OR** _____분 **전** _____ 시

bonne réponse: 세 시 이십 분 전 OR 이십 분 전 세 시
여섯 시 십 분 전 / 십 분 전 여섯 시

LES TYPES DE PHRASES

EXPLIQUER ET DÉCRIRE

Pour expliquer et décrire ce que quelque chose est ("être"), ajoutez après le sujet/objet les éléments suivants pour une phrase **affirmative**.

~입니다. (registre courant/soutenu/honorifique)
~다 / 이다. (registre courant / familier)

C'**est** un chien.
강아지**입니다**. (registre courant/soutenu/honorifique)
강아지**다**. (registre courant / familier)

C'**est** une main.
손**입니다**. (registre courant/soutenu/honorifique)
손**이다**. (registre courant / familier)

(registre courant/soutenu/honorifique)

Mon nom **est** Tony.
Je **suis** un garçon.
Je **suis** un jeune enfant.

(registre courant / familier)

나는 천재다.
나는 주황색이다.
나는 삼각형이다.

Je **suis** un génie.
Je **suis** orange.
Je **suis** un triangle.

QUIZ D'ENTRAÎNEMENT

En utilisant les mots suivants, faites des phrases affirmatives qui expliquent/décrivent un sujet/objet.

나(je) / 학생 (élève) - (registre courant/soutenu/honorifique) ____________________
- (registre courant / familier) ____________________

영희 (Yeong-hee) / 세 살 (trois ans) - (registre courant/soutenu/honorifique)____________________
- (registre courant / familier) ____________________

bonne réponse: 나는 학생입니다. / 나는 학생이다. / 영희는 세 살입니다. / 영희는 세 살이다.

Ajoutez après le sujet/objet les éléments suivants pour les phrases à la forme **négative**.

~(이/가) 아닙니다. (registre courant/soutenu/honorifique)
~(이/가) 아니다. (registre courant / familier)

Ce **n'est** pas un chien.
강아지가 **아닙니다**. (registre courant/soutenu/honorifique)
강아지가 **아니다**. (registre courant / familier)

Ce **n'est** pas une main.
손이 **아닙니다**. (registre courant/soutenu/honorifique)
손이 **아니다**. (registre courant / familier)

(registre courant/soutenu/honorifique)

Mon nom **n'est** pas Tony.
Je **ne suis** pas un garçon.
Je **ne suis** pas un jeune enfant.

(registre courant / familier)

Je **ne suis** pas un génie.
Je **ne suis** pas orange.
Je **ne suis** pas un triangle.

QUIZ D'ENTRAÎNEMENT

En utilisant les mots suivants, faites des phrases négatives qui expliquent/décrivent un sujet/objet.

나(je) / 학생 (élève) - (registre courant/soutenu/honorifique) ______________________________
- (registre courant / familier) ______________________________

영희 (Yeong-hee) / 세 살 (trois ans) - (registre courant/soutenu/honorifique)______________________________
- (registre courant / familier) ______________________________

bonne réponse: 나는 학생이 아닙니다. / 나는 학생이 아니다. / 영희는 세살이 아닙니다. / 영희는 세살이 아니다.

LA FORME NÉGATIVE/NÉGATION

안 / ~지 않다

Il y a deux façons de mettre à la forme négative une phrase, qui peuvent être utilisées de manière interchangeable. Apprenons leurs différences.

MP3 (53)

La phrase de base : 김밥을 먹었다. J'ai mangé un kimbap.

1. Ajoutez "**안**" qui agit avant le verbe/adjectif pour mettre une phrase à la forme négative.

김밥을 안 먹었다. Je n'ai pas mangé un kimbap
-> Avec celle-ci, tout ce dont vous avez à faire est d'insérer "안" avant le verbe "먹었다" pour mettre l'action à la forme négative.

2. De manière alternative, vous pouvez ajouter "**-지 않다**" au **radical** du verbe/adjectif pour mettre une phrase à la forme négative.

김밥을 먹지 않았다. Je n'ai pas mangé un kimbap.
-> Avec celle-là, vous devez conjuguer le verbe/adjectif.

À vous de voir laquelle choisir, et elles veulent dire la même chose.

Que pensez-vous de ceci ?

김밥을 안 먹지않았다.
I not did not eat kimbap. = Je n'ai pas pas mangé un kimbap.

Une double négation est positive. On vous met ça là juste pour vous donner une idée de comment cela fonctionne.

Comment se fait-il que nous ne volions pas ?

Certains oiseaux ne volent pas.

QUIZ D'ENTRAÎNEMENT

En utilisant **"안"** et **"-지 않다"**, transformez les phrases affirmatives suivantes à la forme négative.

날씨가 덥다 Il fait chaud. ->

________________________ Il ne fait pas chaud.

________________________ Il ne fait pas chaud.

그 현실이 놀랍다! Cette réalité est surprenante ! ->

________________________ Cette réalité n'est pas surprenante !

________________________ Cette réalité n'est pas surprenante !

거북이는 느리다 La tortue est lente. ->

________________________ La tortue n'est pas lente.

________________________ La tortue n'est pas lente.

물이 맑다 L'eau est claire. ->

________________________ L'eau n'est pas claire.

________________________ L'eau n'est pas claire.

bonne réponse : 날씨가 안 덥다. 날씨가 덥지 않다. / 그 현실이 안 놀랍다. 그 현실이 놀랍지 않다. 거북이는 안 느리다. 거북이는 느리지 않다. / 물이 안 맑다. 물이 맑지 않다.

CHOISIR ENTRE DES OPTIONS

~(이)나 avec un nom.

OR

강아지나 고양이

Un chien ou un chat.

"-나" lorsque ça se termine par une voyelle.

OR

책이나 잡지

Un livre ou un magazine.

"-이나" lorsque ça se termine par une consonne.

QUIZ D'ENTRAÎNEMENT

Utiliser "**-이**" ou "**-나**" pour les sujets suivants.

발 (pied) ____ 손 (main) 비 (pluie) ______ 눈 (neiger)

소리 (son) ______ 냄새 (sentir) 불 (feu) ______ 물 (eau)

bonne réponse: 발이나 손 / 비나 눈/ 소리나 냄새 / 불이나 물

~거나 avec un verbe/adjectif.

Ajoutez "**-거나**" au radical du verbe/adjectif.

OR

마시거나 **먹**거나

Boire ou manger.

*(**마시**다 boire) *(**먹**다 manger)

맵거나 **짜**거나

Piquant ou salé.

*(**맵**다 est piquant) *(**짜**다 est salé)

QUIZ D'ENTRAÎNEMENT

Transformez les verbes/adjectifs suivants sous la forme "**-거나**".

입다 (porter) & 벗다 (enlever) →
걷다 (marcher) & 뛰다 (courir) →
많다 (avoir plein) & 적다 (être insuffisant) →
가볍다 (être léger) & 무겁다 (être lourd) →

bonne réponse: 입거나 벗거나 / 걷거나 뛰거나 / 많거나 적거나 / 가볍거나 무겁거나

Téléchargez ici le fichier mp3 ! newampersand.com/audio

LA FORME COMPARATIVE

~보다 & 더 / 덜

A **보다** B 가 더 / 덜 ADJECTIF

*"보다" **n'**est **pas** le verbe voir.

B est plus/moins ADJECTIF **que** A.

Par exemple,

장미 **보다** 튤립이 더 예쁘다.

Les tulipes sont plus jolies **que** les roses.

장미 **보다** 튤립이 덜 예쁘다.

Les tulipes sont moins jolies **que** les roses.

나**보다** 철수가 더 똑똑하다. Je suis plus intelligent **que** Cheol-Su.

나**보다** 철수가 덜 똑똑하다. Je suis moins intelligent **que** Cheol-Su.

생각**보다** 술을 더 마셨다. J'ai bu plus d'alcool **que** je ne le pensais.

생각**보다** 술을 덜 마셨다. J'ai bu moins d'alcool **que** je ne le pensais.

QUIZ D'ENTRAÎNEMENT

En utilisant "**보다**" et "**더/덜**", traduisez les phrases suivantes en coréen.

그릇 (bol) / 뜨겁다 (être chaud) / 컵 (verre)

Le bol est plus chaud que le verre.

-> ____

Le verre est moins chaud que le bol.

-> ____

오늘의 (d'aujourd'hui) / 뉴스 (les actualités) / 놀랍다 (être surprenant) / 어제의 (d'hier)

Les actualités d'aujourd'hui sont plus surprenantes que les actualités d'hier.

-> ____

Les actualités d'hier sont moins surprenantes que les actualités d'aujourd'hui.

-> ____

거북이 (tortue) / 느리다 (être lent) / 달팽이 (escargot)

La tortue est plus lente que l'escargot.

-> ____

L'escargot est moins lent que la tortue.

-> ____

얼음 (glaçon) / 맑다 (être clair) / 우유 (lait)

Le glaçon est plus clair que le lait.

-> ____

Le lait est moins clair que le glaçon.

-> ____

bonne réponse: 그릇이 컵보다 더 뜨겁다. 컵이 그릇보다 덜 뜨겁다.
오늘의 뉴스가 어제의 뉴스보다 더 놀랍다. 어제의 뉴스가 오늘의 뉴스보다 덜 놀랍다.
거북이가 달팽이보다 더 느리다. 달팽이가 거북이보다 덜 느리다.
얼음이 우유보다 맑다. 우유가 얼음보다 덜 맑다.

Téléchargez ici le fichier mp3 ! newampersand.com/audio

LA PHRASE EXCLAMATIVE (EXCLAMATION)

~구나! / ~(ㄹ)수가!

La règle est très simple ! Ajoutez simplement "**-구나!**" ou "**-(ㄹ)수가!**" au radical de l'adjectif pour faire une phrase exclamative.

Exemples "**-구나!**" :

예쁘다. C'est joli. → **예쁘**구나! Que c'est joli !

아름답다 C'est beau. -> **아름답**구나! Que c'est beau !

정말 **훌륭하**구나!

C'est vraiment génial ! = Que c'est génial !

맛있구나!

C'est délicieux ! = Que c'est délicieux !

빠르구나!

T'es rapide ! = Que t'es rapide !

QUIZ D'ENTRAÎNEMENT

Transformez les adjectifs suivants en des phrases exclamatives.

덥다 (être chaud) -> ______________________

놀랍다 (être surprenant) -> ______________________

느리다 (être lent) -> ______________________

맑다 (être clair) -> ______________________

뿌옇다 (être nuageux) -> ______________________

bonne réponse : 덥구나! / 놀랍구나! / 느리구나! / 맑구나! / 뿌옇구나!

De même, ajoutez "**-(ㄹ)수가**" au radical de l'adjectif pour signifier :

예쁘다 C'est joli. -> **예쁠**수가 (**예쁘**+ㄹ수가)! Comme ça peut être joli !

아름답다 C'est beau. -> **아름**다울수가! 아름답울수가 (X) Comme ça peut être beau !

Cependant, pour les expressions "**-(ㄹ)수가**", le sens est incomplet sans les éléments suivants pour les compléter :
(raison pour laquelle "peut être" est souligné).

이렇게 comme ceci/ 저렇게 comme cela / 그렇게 comme ainsi

예쁘다. C'est joli. → 이렇게/저렇게/그렇게 예쁠수가 (예쁘+ㄹ수가)!
Comme ça peut être joli comme ceci/comme cela/comme ainsi !

아름답다. C'est beau. → 이렇게/저렇게/그렇게 아름다울수가!
Comme ça peut être beau comme ceci/comme cela/comme ainsi !

저렇게 멍청할수가!
Comment (le sujet) peut être si stupide !

이렇게 행복할수가!
Comme je peux être si heureux !

그렇게 착할수가!
Comment (le sujet) peut être si gentil ?

QUIZ D'ENTRAÎNEMENT

Transformez les adjectifs suivants en des phrases exclamatives en utilisant~**(ㄹ)수가**!

덥다 (être chaud) →

놀랍다 (être surprenant) →

느리다 (être lent) →

맑다 (être clair) →

뿌옇다 (être nuageux) →

bonne réponse : 더울수가! / 놀라울수가! / 느릴수가! / 맑을수가! / 뿌열수가!

Téléchargez ici le fichier mp3 ! newampersand.com/audio

SOUHAITER/ESPÉRER

~(으)면 좋겠다

Ajoutez "-**(으)면 좋겠다**" au radical du verbe/adjectif pour dire "j'aimerais que...".

Par exemple :

예쁘다 être joli -> **예쁘**면 좋겠다! J'aimerais que ce soit joli. = Je souhaite/espère que ce soit joli.
보다 Voir -> **보**면 좋겠다! J'aimerais que tu le voies. = Je souhaite/espère que tu le voies.
먹다 Manger -> **먹**으면 좋겠다! J'aimerais que tu le manges. = Je souhaite/espère que tu le manges.

Il y a un nouveau film et j'aimerais que tu le regardes avec moi !

J'espère que c'est marrant !

QUIZ D'ENTRAÎNEMENT

Transformez les verbes/adjectifs suivants en la forme de souhait/espoir en utilisant "-**(으)면 좋겠다**".

먹다 manger →__________________________ Je souhaite/espère pouvoir manger.

놀다 jouer →__________________________ Je souhaite/espère pouvoir jouer.

주다 donner →__________________________ Je souhaite/espère pouvoir donner.

구르다 rouler →__________________________ Je souhaite/espère pouvoir rouler.

더럽다 être sale →__________________________ Je souhaite/espère que c'est sale.

크다 être grand →__________________________ J'espère/souhaite que c'est grand.

bonne réponse : 먹으면 좋겠다. / 놀면 좋겠다. / 주면 좋겠다. / 구르면 좋겠다. / 더러우면 좋겠다. / 크면 좋겠다.

RÉSOLUTION/DÉTERMINATION

~아/어야 한다

Ajoutez "**-아/어야 한다**" au radical du verbe/adjectif pour dire "doit (être)".

Par exemple :

보다 Voir -> **봐**야 한다 (**보**+아야 한다) (le sujet) doit voler

날다 Voler -> **날**아야 한다 (le sujet) doit voler

먹다 Manger -> **먹**어야 한다 (le sujet) doit manger

예쁘다 Être joli -> **예뻐**야 한다 (**예쁘** + 어야 한다) (le sujet) doit être joli

맵다 Être piquant -> **매워**야 한다 (**매**+우어야 한다 *conjugaison irrégulière) (le sujet) doit être piquant

나는 지금 **일어나**야 한다.
Je dois me **lever** maintenant.

나는 집에 **가**야 한다.
Je dois **aller** à la maison.

QUIZ D'ENTRAÎNEMENT

Ajoutez "**-아야/어야 한다**" au radical du verbe/adjectif pour dire "doit (être)".

놀다 Jouer -> ___________________________ doit jouer

입다 Porter -> ___________________________ doit porter

구르다 Rouler -> ___________________________ doit rouler

더럽다 Être sale -> ___________________________ doit être sale

크다 Être grand -> ___________________________ doit être grand

bonne réponse : 놀아야 한다. / 입어야 한다. / 굴러야 한다. / 더러워야 한다. / 커야 한다.

Téléchargez ici le fichier mp3 ! newampersand.com/audio

LA PERMISSION

~아/어 도 된다 / ~(으)면 안된다

Ajoutez "-**아/어 도 된다**" au radical du verbe/adjectif pour dire "être autorisé à", "il est permis de", "pouvoir".

Par exemple :

보다 voir -> **봐**도 된다 (**보**+아도 된다). (le sujet) est autorisé à voir

날다 voler -> **날**아도 된다. (le sujet) est autorisé à voler.

먹다 manger -> **먹**어도 된다. (le sujet) est autorisé à manger.

예쁘다 Être joli -> **예뻐**도 된다. (**예쁘**+어도) (le sujet) est autorisé à être joli.

맵다 Être piquant -> **매워**도 된다 (**매**+우어도= **매워**도 *conjugaison irrégulière) (le sujet) est autorisé à être piquant.

오늘은 늦게 일어나도 된다.

Il est permis de se lever tard aujourd'hui.
= (Le sujet) peut se lever tard aujourd'hui.

저녁에 사과를 먹어도 된다.

Il est permis de manger une pomme le soir.
= (Le sujet) peut manger une pomme le soir.

QUIZ D'ENTRAÎNEMENT

Transformez ces verbes/adjectifs suivants pour décrire la permission en utilisant "-**아/어도 된다**".

놀다 jouer → ______________________ être autorisé à jouer.

입다 porter → ______________________ être autorisé à porter.

구르다 rouler → ______________________ être autorisé à rouler.

더럽다 être sale → ______________________ être autorisé à être sale.

크다 être grand → ______________________ être autorisé à être grand.

bonne réponse : 놀아도 된다. / 입어도 된다. / 굴러도 된다. / 더러워도 된다. / 커 (크+어)도 된다.

Ajoutez "**-(으)면 안된다**" au radical du verbe/adjectif pour dire "ne pas être autorisé à", "il n'est pas permis de", "ne pas pouvoir".

Par exemple :

보다 voir -> **보**면 안된다. (sujet) n'est pas autorisé à voir

날다 voler-> **날**면 안된다. (Le sujet) n'est pas autorisé à voler.

먹다 manger -> **먹**으면 안된다. (Le sujet) n'est pas autorisé à manger.

예쁘다 Être joli -> **예쁘**면 안된다. (Le sujet) n'est pas autorisé à être joli.

맵다 Être piquant-> **매**우면 안된다. (*conjugaison irrégulière) (Le sujet) n'est pas autorisé à être piquant.

쓰레기를 버리면 안된다.

Il n'est pas permis de jeter les déchets.
= (Le sujet) ne doit pas jeter les déchets.

눈을 뜨면 안된다.

Il n'est pas permis d'ouvrir les yeux.
= (Le sujet) ne doit pas ouvrir les yeux.

QUIZ D'ENTRAÎNEMENT

Transformez les verbes/adjectifs suivants pour décrire l'interdiction en utilisant "**-(으)면 안된다**".

놀다 jouer → ______________________ ne pas être autorisé à jouer.

입다 porter → ______________________ ne pas être autorisé à porter.

구르다 rouler → ______________________ ne pas être autorisé à rouler.

더럽다 être sale → ______________________ ne pas être autorisé à être sale.

크다 être grand → ______________________ ne pas être autorisé à être grand.

bonne réponse : 놀면 안된다. / 입으면 안된다. / 구르면 안된다. / 더러우면 안된다다. / 크면 안된다.

Téléchargez ici le fichier mp3 ! newampersand.com/audio

LA CAUSE

~아/어서 / ~기 때문에

Ajoutez "-**아/어서**"/"-**기 때문에**" au radical du verbe/adjectif pour dire "parce que".

Par exemple :

보다 voir -> **봐**서 (**보**+아서) OU **보**기 때문에 parce que je vois/regarde.

e.g.,) 지금 영화를 **봐**서 (**보**기 때문에), 통화 할 수 없다.

Je ne peux pas parler au téléphone maintenant parce que je suis en train de regarder un film.

날다 voler -> **날**아서 OU **날**기 때문에 parce que (le sujet) vole.

e.g.,) 모기는 너무 빨리 **날**아서 (**날**기 때문에), 잡기 힘들다.

Les moustiques sont difficiles à attraper parce qu'ils volent trop vite.

먹다 manger -> **먹**어서 OU **먹**기 때문에 parce que (le sujet) mange.

e.g.,) 나는 화가 나면 너무 많이 **먹**어서 (**먹**기 때문에), 조심해야 한다.

Je dois faire attention parce que je mange trop quand je suis en colère.

예쁘다 être joli -> **예뻐**서 OU **예쁘**기 때문에 parce que (le sujet) est joli.

e.g.,) 그녀는 **예뻐**서 (**예쁘**기 때문에), 모두가 부러워한다.

Tout le monde est jaloux parce qu'elle est jolie.

맵다 être piquant -> **매워**서 (**매**+우어서= **매**워서 *conjugaison irrégulière) OU **맵**기 때문에 parce que (le sujet) est piquant.

e.g.,) 음식이 **매**워서 (**맵**기 때문에), 물을 많이 마셨다.

(Le sujet) a bu beaucoup d'eau parce que la nourriture est piquante.

(Le sujet) peut voir les étoiles parce qu'il fait nuit.

QUIZ D'ENTRAÎNEMENT

Ajoutez "**-아서/어서**" / "**-기 때문에**" au radical du verbe/adjectif pour dire "parce que".

놀다 jouer → ______________________ parce que (je) joue.

입다 porter → ______________________ parce que (je) porte.

구르다 rouler → ______________________ parce que (je) roule.

더럽다 être sale → ______________________ parce que (le sujet) est sale.

크다 être grand → ______________________ parce que (le sujet) est grand.

bonne réponse : 놀기 때문에 or 놀아서 / 입기 때문에 or 입어서 / 구르기 때문에 or 굴러서 / 더럽기 때문에 or 더러워서 / 크기 때문에 or 커서.

Téléchargez ici le fichier mp3 ! newampersand.com/audio

LA POSSIBILITÉ

~ㄹ/을 수 있다 / ~ㄹ/을 수 없다

Ajoutez "**-ㄹ/을 수 있다**" au radical du verbe/adjectif pour dire "il est possible de" = "peut (être)".

Par exemple :

보다 voir -> **볼** 수 있다. Il est possible de (le) voir = (le sujet) peut (le) voir.

날다 voler -> **날** 수 있다. Il est possible de voler = (Le sujet) peut voler.

먹다 manger -> **먹**을 수 있다. Il est possible de manger = (Le sujet) peut manger.

예쁘다 Être joli -> **예쁠** 수 있다. Il est possible d'être joli = (Le sujet) peut être joli.

맵다 Être piquant -> **매울** 수 있다 (*conjugaison irrégulière) Il est possible d'être piquant = (Le sujet) peut être piquant.

할 수 있다!

(**하**다 + ㄹ 수 있다 = **할** 수 있다)

Je peux le faire !

QUIZ D'ENTRAÎNEMENT

Transformez les verbes/adjectifs suivants pour décrire la possibilité en utilisant "**-ㄹ/을 수 있다**".

놀다 jouer → ______________________ peut jouer.

입다 porter → ______________________ peut porter.

구르다 rouler → ______________________ peut rouler.

더럽다 être sale → ______________________ peut être sale.

크다 être grand → ______________________ peut être grand.

bonne réponse: 놀 수 있다. / 입을 수 있다. / 구를 수 있다. / 더러울 수 있다. / 클 수 있다.

À l'inverse, ajoutez "**-ㄹ/을 수 없다**" au radical du verbe/adjectif pour dire "il n'est pas possible de", "ne pas pouvoir (être)".

Par exemple :

보다 voir -> **볼** 수 없다. Il n'est pas possible de (le) voir = (Le sujet) ne peut pas (le) voir.

날다 voler-> **날** 수 없다. Il n'est pas possible de voler = (Le sujet) ne peut pas voler.

먹다 manger -> **먹**을 수 없다. Il n'est pas possible de manger = (Le sujet) ne peut pas manger.

예쁘다 Être joli -> **예쁠** 수 없다. Il n'est pas possible d'être joli = (Le sujet) ne peut pas être joli.

맵다 Être piquant -> **매울** 수 없다 (*conjugaison irrégulière) Il n'est pas possible d'être piquant = (Le sujet) ne peut pas être piquant.

할 수 없다!

(**하**다 + ㄹ 수 없다 = **할** 수 없다)

Je ne peux pas le faire !

QUIZ D'ENTRAÎNEMENT

Transformez les verbes/adjectifs suivants pour décrire l'impossibilité en utilisant "**-ㄹ/을 수 없다**".

놀다 jouer → ______________________ ne peut pas jouer.

입다 porter → ______________________ ne peut pas porter.

구르다 rouler → ______________________ ne peut pas rouler.

더럽다 être sale → ______________________ ne peut pas être sale.

크다 être grand → ______________________ ne peut pas être grand.

bonne réponse: 놀 수 없다. / 입을 수 없다. / 구를 수 없다. / 더러울 수 없다. / 클 수 없다.

MALGRÉ

~지만

Ajoutez "**-지만**" au radical du verbe/adjectif pour dire "malgré/bien que".

Par exemple :

보다 voir -> **보**지만 bien que (le sujet) voie/regarde

e.g., 영화를 **보**지만, 공부 할 수 있다. Bien que je regarde un film, je peux étudier.

날다 voler -> **날**지만 despite/though (subject) fly/flies,

e.g., 모기는 빨리 **날**지만, 잡을 수 있다. Bien que les moustiques volent vite, je peux les attraper.

먹다 manger -> **먹**지만 despite/though (subject) eat(s),

e.g., 나는 많이 **먹**지만, 날씬하다. Bien que je mange beaucoup, je suis mince.

예쁘다 être joli -> **예쁘**지만 despite/though (subject) is/am/are pretty,

e.g., 장미꽃은 **예쁘**지만, 가시가 있다. Bien que les roses soient jolies, elles ont des épines.

맵다 être piquant -> **맵**지만 despite/though (food) is spicy,

e.g., 김치는 **맵**지만, 건강에 좋다. Bien que le kimchi soit piquant, c'est bon pour la santé.

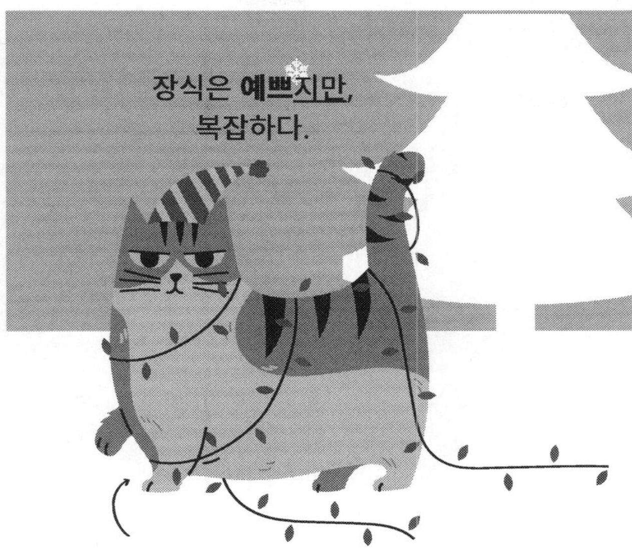

Bien que le temps soit froid, ça fait du bien. Bien que les décorations soient jolies, elles sont compliquées.

QUIZ D'ENTRAÎNEMENT

Ajoutez "**-지만**" au radical du verbe/adjectif pour dire "malgré/bien que".

놀다 jouer → ________________________ bien que (le sujet) joue.

입다 porter → ________________________ bien que (le sujet) porte.

구르다 rouler → ________________________ bien que (le sujet) roule.

더럽다 être sale → ________________________ bien que (le sujet) soit sale.

크다 être grand → ________________________ bien que (le sujet) soit grand.

bonne réponse: 놀지만 / 입지만 / 구르지만 / 더럽지만 / 크지만

Téléchargez ici le fichier mp3 ! newampersand.com/audio

CITER (DISCOURS RAPPORTÉ)

~(ㄴ/는)다고 / ~았/었다고 / ~ㄹ 거라고

Ajoutez "**-(ㄴ/는다고)**" au radical du verbe/adjectif pour dire "dit que (sujet) + action dans le présent".

Ajoutez "**-았/었다고**" au radical du verbe/adjectif pour dire "dit que (sujet) + action dans le passé".

Ajoutez "**-ㄹ 거라고**" au radical du verbe/adjectif pour dire "dit que (sujet) + action dans le futur".

보다 voir -> **본**다고 a dit que (le sujet) regarde / **보**았다고 a regardé / **볼** 거라고 regardera

e.g.,) 철수가 영화를 **본**다고 / **보**았다고 / **볼** 거라고 말했다.

Cheol-Su a dit qu'il regarde / a regardé / regardera un film.

날다voler -> **난**다고 a dit que (le sujet) vole / **날**았다고 a volé/ **날** 거라고 volera

e.g.,) 독수리가 하늘을 **난**다고 / **날**았다고 / **날** 거라고 들었다.

J'ai entendu dire que l'aigle vole / a volé / volera dans le ciel.

먹다 manger -> **먹**는다고 a dit que (le sujet) mange / **먹**었다고 a mangé/ **먹**을 거라고 mangera

e.g.,) 영희가 식탁 위의 햄버거를 **먹**는다고 / **먹**었다고 / **먹**을 거라고 말했다.

Young-Hee a dit qu'elle mange / a mangé / mangera le burger sur la table à manger.

예쁘다 être joli -> **예쁘**다고 a dit que (le sujet) est joli / **예뻤**다고 était joli / **예쁠** 거라고 sera joli

e.g.,) 새로 나온 자동차가 **예쁘**다고 / **예뻤**다고 / **예쁠** 거라고 들었다.

J'ai entendu dire que la voiture nouvellement lancée est jolie / était jolie / sera jolie.

맵다 être piquant ->

맵다고 **(et not 맵**는다고) a dit que (le sujet) est piquant / **매웠**다고 était piquant **/ 매울** 거라고 sera piquant

e.g.,) 김치 라면이 **맵**다고 / **매웠**다고 / **매**울 거라고 들었다.

J'ai entendu dire que le kimchi ramyon est piquant / était piquant / sera piquant.

J'ai entendu dire que cet oppa m'apprécie.

Et il a dit qu'il m'apprécie toujours !

Et il a dit qu'il continuera de m'apprécier !

QUIZ D'ENTRAÎNEMENT

Transformez chacun des verbes/adjectifs suivants en "-(ㄴ/는)다고", "-았/었다고" et "-ㄹ 거라고" pour citer quelque chose dans l'action du présent/passé/futur. Écrivez sous chaque phrase.

놀다 jouer

A dit que (le sujet) joue / a dit que (le sujet) a joué / a dit que (le sujet) jouera

더럽다 être sale

A dit que (le sujet) est sale / a dit que (le sujet) était sale / a dit que (le sujet) sera sale

bonne réponse : 논다고 말했다. 놀았다고 말했다. 놀 거라고 말했다..
입는다고 들었다. 입었다고 들었다. 입을 거라고 들었다.
더럽다고 들었다. 더러웠다고 들었다. 더러울 거라고 들었다.

DEVINER

~ㄹ/을 것 같다 / ~ㄴ/은 것 같다 / ~었던 것 같다

Ajoutez "**-ㄹ/을 것 같다**" au radical du verbe/adjectif pour dire "semble que (le sujet) sera".

Ajoutez "**-ㄴ/은 것 같다**" au radical du verbe pour dire "semble que (le sujet) a fait".

* Pour les adjectifs, ajoutez "**-었던 것 같다**" au radical pour dire "penser que (le sujet) était".

보다 voir -> **볼** 것 같다 semble que (le sujet) va regarder / **본** 것 같다 semble que (le sujet) a regardé

e.g.,) 영희와 철수가 영화를 **볼** 것 같다 / **본** 것 같다.

Il semble que Young-Hee et Cheol-Su vont regarder / ont regardé un film.

날다 voler -> **날** 것 같다 semble que (le sujet) va voler / **난** 것 같다 semble que (le sujet) a volé

e.g.,) 독수리가 하늘을 **날** 것 같다 / **난** 것 같다.

Il semble que l'aigle va voler / a volé dans le ciel.

먹다 manger -> **먹**을 것 같다 seems like (subject) will eat / **먹**은 것 같다 seems like (subject) ate

e.g.,) 소희가 식탁 위의 햄버거를 **먹**을 것 같다 / **먹**은 것 같다.

It seems like Sohee will eat / ate the hamburger on the dining table.

예쁘다 être joli -> **예쁠** 것 같다 semble que (le sujet) va manger / **예**뻤던 것 같다 semble que (le sujet) a mangé

ADJ

e.g.,) 새로 나온 자동차가 **예쁠** 것 같다 / **예**뻤던 것 같다.

Il semble que Sohee va manger / a mangé le burger sur la table à manger.

맵다 être piquant ->

매울 것 같다 semble que (le sujet) sera piquant / **매**웠던 것 같다 semble que (le sujet) était piquant

e.g.,) 김치가 **매울** 것 같다 / **매**웠던 것 같다.

Il semble que le kimchi sera piquant. / Je pense que le kimchi était piquant.

Tu penses que je vais réussir ?

Il semble que t'as réussi !

ADJ Tu penses qu'il va faire chaud en Corée ?

Oui ! Je pense qu'il faisait chaud en Corée !

QUIZ D'ENTRAÎNEMENT

Ajoutez "-ㄹ/을 것 같다" au radical du verbe/adjectif pour dire "semble que (le sujet) sera".
Ajoutez "-ㄴ/은 것 같다" au radical du verbe pour dire "semble que (le sujet) a fait".
* Pour les adjectifs, ajoutez "-었던 것 같다" au radical pour dire "penser que (le sujet) était".

놀다 jouer

_______________________ (Il) semble que (le sujet) va jouer.

_______________________ (Il) semble que (le sujet) a joué.

입다 porter

_______________________ (Il) semble que (le sujet) va porter.

_______________________ (Il) semble que (le sujet) a porté.

더럽다 être sale

_______________________ (Il) semble que (le sujet) sera sale.

_______________________ (Je) pense que (le sujet) était sale.

크다 être grand

_______________________ (il) semble que (le sujet) sera grand.

_______________________ (je) pense que (le sujet) était grand.

bonne réponse : 놀 것 같다. 논 것 같다 / 입을 것 같다. / 입은 것 같다. / 더러울 것 같다. / 더러웠던 것 같다. / 클 것 같다. / 컸던 것 같다.

LA CONDITION/SI

~(으)면, ~(ㄴ/는) 다면

Ajoutez "-(으)면", "-ㄴ/는다면" au radical du verbe/adjectif pour dire "si-".

Par exemple :

보다 regarder -> **보**면 ou **본**다면 si je vois/regarde

e.g.,) 금요일에 영화를 **보**면 **/ 본**다면 어때요? Que diriez-vous si nous regardions un film vendredi ?

날다 voler -> **날**면 / **난**다면 si (le sujet) vole

e.g.,) 독수리가 하늘을 **날**면 / **난**다면? Et si l'aigle volait dans le ciel ?

먹다 manger -> **먹**으면 / **먹**는 다면 si (le sujet) mange

e.g.,) 내가 이 햄버거를 **먹**으면 / **먹**는다면, 살 찔까? Si je mange ce burger, est-ce que je vais grossir ?

예쁘다 être joli -> **예쁘**면 / **예쁘**다면 si joli

e.g.,) 자동차 디자인이 **예쁘**면 / **예쁘**다면, 비쌀까? Si le design de la voiture est joli, est-ce qu'elle sera chère ?

맵다 être piquant -> **매**우면 / **맵**다면 si piquant

e.g.,) 너무 **매**우면 / **맵**다면, 물을 좀 마셔요. Si c'est trop piquant, bois de l'eau.

Si tu ne connais pas la réponse, Tu la connaîtras en étudiant !

QUIZ D'ENTRAÎNEMENT

Transformez les éléments suivants au conditionnel en utilisant "**-(으)면**" ou "**-(ㄴ/는) 다면**" selon votre choix.

놀다 jouer → ______________________ si (sujet) joue

입다 porter → ______________________ si (sujet) porte

구르다 rouler → ______________________ si (sujet) roule

더럽다 être sale → ______________________ si (sujet) est sale

크다 être grand → ______________________ si (sujet) est grand

bonne réponse: 놀면 or 논다면 / 입으면 or 입는다면 / 구르면 or 구른다면 / 더러우면 or 더럽다면 / 크면 or 크다면

EN MÊME TEMPS

~(으)면서 / ~며

Ajoutez "**-(으)면서" / "-며**" au radical du verbe/adjectif pour dire "tout en + participe présent".

Par exemple :

보다 voir -> **보**면서 ou **보**며 tout en voyant/en regardant

e.g.,) 영화를 **보**면서 **/ 보**며 김밥을 먹었다.

J'ai mangé du kimbap tout en regardant un film.

날다 voler -> **날**면서 / **날**며 tout en volant

e.g.,) 독수리가 하늘을 **날**면서 / **날**며 사냥을 했다.

L'aigle chassait tout en volant dans le ciel.

먹다 manger -> **먹**으면서 / **먹**으며 tout en mangeant

e.g.,) 라면을 **먹**으면서 / **먹**으며 공부했다.

J'ai étudié tout en mangeant ramyon.

예쁘다 être joli -> **예쁘**면서 / **예쁘**며 tout en étant joli

e.g.,) 이 옷은 **예쁘**면서 / **예쁘**며 가격도 싸다.

Ce vêtement est bon marché tout en étant joli. = Ce vêtement est bon marché. En même temps c'est joli.

맵다 être piquant -> **매**우면서 / **매**우며 tout en étant piquant

e.g.,) 김치는 **매**우면서 / **매**우며, 새콤하다.

Le kimchi est aigre tout en étant piquant. = Le kimchi est aigre. En même temps c'est piquant.

QUIZ D'ENTRAÎNEMENT

Transformez les éléments suivants au présent continu en utilisant "**-(으)면서**" ou "-며" selon votre choix.

놀다 jouer → ____________________ en jouant

입다 porter → ____________________ en portant

구르다 rouler → ____________________ en roulant

더럽다 être sale → ____________________ en étant sale

크다 être grand → ____________________ en étant grand

bonne réponse : 놀면서 or 놀며 / 입으면서 or 입으며 / 구르면서 or 구르며 / 더러우면서 or 더러우며 / 크면서 or 크며

PRESQUE/QUASIMENT

~ㄹ/을 뻔 했다

Ajoutez "**-ㄹ/을 뻔 했다**" au radical du verbe pour dire "avoir failli" et au radical de l'adjectif pour dire "aurait pu être".

Par exemple :

보다 voir -> **볼** 뻔 했다 failli regarder

e.g.,) 재미 없는 영화를 끝까지 **볼** 뻔 했다. J'ai failli regarder le film ennuyant jusqu'à la fin.

날다 voler -> **날** 뻔 했다 failli voler

e.g.,) 독수리가 놀라서 하늘로 **날** 뻔 했다. L'aigle a failli voler dans le ciel en surprise.

먹다 manger -> **먹**을 뻔 했다 failli manger

e.g.,) 상한 음식을 **먹**을 뻔 했다. J'ai failli manger de la nourriture pourrie.

예쁘다 être joli -> **예**쁠 뻔 했다 aurait pu être joli

e.g.,) 장식이 있으면 예쁠 뻔 했다. Ça aurait pu être joli s'il y avait une décoration.

맵다 être piquant -> **매**울 뻔 했다 aurait pu être piquant

e.g.,) 고추장을 넣었으면 **매**울 뻔 했다. Ça aurait pu être piquant si j'avais mis du gochujang.

J'ai failli mourir !

J'ai failli m'assoupir !

QUIZ D'ENTRAÎNEMENT

Ajoutez "**-ㄹ/을 뻔 했다**" aux radicaux verbaux suivants pour dire "failli (faire)" et aux radicaux des adjectifs pour dire "aurait pu être".

놀다 jouer → ____________________ failli jouer

입다 porter → ____________________ failli porter

구르다 rouler → ____________________ failli rouler

더럽다 être sale → ____________________ aurait pu être sale

크다 être grand → ____________________ aurait pu être grand

bonne réponse: 놀 뻔 했다. / 입을 뻔 했다. / 구를 뻔 했다. / 더러울 뻔 했다. / 클 뻔 했다.

OBLIGER / LAISSER / FAIRE FAIRE

~게 하다 / ~게 해 주다 / ~게 만들다

Ajoutez "**-게 하다**" au radical du verbe pour dire "obliger (sujet) à faire/être".

Ajoutez "**-게 해 주다**" au radical du verbe pour dire "laisser (sujet) faire/être".

Ajoutez "**-게 만들다**" au radical du verbe pour dire "faire faire/être (au sujet)".

Par exemple :

보다 voir -> **보**게 하다 obliger (le sujet) à voir/regarder **보**게 해 주다 laisser (le sujet) voir/regarder

보게 만들다 faire voir/regarder (au sujet)

e.g.,) 선생님이 학생들이 공포영화를 **보**게 하다 / **보**게 해 주다 / **보**게 만들다

Le professeur oblige / laisse / fait voir aux élèves un film d'horreur.

날다 voler -> **날**게 하다 obliger (le sujet) à voler **날**게 해 주다 laisser (le sujet) voler

날게 만들다 faire voler (le sujet)

e.g.,) 독수리가 하늘로 **날**게 하다 / **날**게 해 주다 / **날**게 만들다

Je oblige / laisse / fais voler l'aigle dans le ciel.

먹다 manger ->

먹게 하다 obliger (le sujet) à manger **먹**게 해 주다 laisser (le sujet) manger **먹**게 만들다 fait manger (le sujet)

e.g.,) 상한 음식을 **먹**게 하다 / **먹**게 해 주다 / **먹**게 만들다

Je oblige / laisse / fait manger (au sujet) de la nourriture pourrie.

QUIZ D'ENTRAÎNEMENT

Ajoutez "**-게 하다**" au radical du verbe pour dire "obliger (le sujet) à faire/être".
Ajoutez "**-게 해 주다**" au radical du verbe pour dire "laisser (le sujet) faire/être".
Ajoutez "**-게 만들다**" au radical du verbe pour dire "faire faire/être (au sujet)"

놀다 jouer -> ________________________ obliger (le sujet) à jouer.

________________________ laisser (le sujet) jouer.

________________________ faire jouer (le sujet).

입다 porter -> ________________________ obliger (le sujet) à porter.

________________________ laiser (le sujet) porter.

________________________ Faire porter (au sujet).

화나다 être en colère -> ________________________ mettre (le sujet) en colère.

________________________ laisser (le sujet) être en colère.

________________________ faire (le sujet) se mettre en colère.

bonne réponse : 놀게 하다. 놀게 해 주다. 놀게 만들다. / 입게 하다. 입게 해 주다. 입게 만들다. / 화나게 하다. 화나게 해 주다. 화나게 만들다.

AUTRES EXPRESSIONS COURANTES

Dès que : "-자마자"

먹다 - **먹**자마자 dès que tu manges **먹**자마자 자면 안된다. Tu ne dois pas dormir dès que t'as mangé.

보다 - **보**자마자 dès que tu vois **보**자마자 전화해! Appelle-moi dès que tu vois ça !

Savoir comment faire : "-ㄹ/을 줄 안다"

먹다 - **먹**을 줄 안다 savoir comment manger 나도 랍스터 **먹**을 줄 안다. Je sais aussi comment manger un homard.

보다 - **볼** 줄 안다 savoir comment regarder 지도를 **볼** 줄 안다. Je sais regarder une carte.

Décider de : "-기로 하다"

먹다 - **먹**기로 하다 décider de manger 건강하게 **먹**기로 하다. Je décide de manger sainement.

보다 - **보**기로 하다 décider de regarder 영화를 함께 **보**기로 하다. Ils décident de regarder un film ensemble.

Demander l'approbation : "-죠?"

먹다 - **먹**죠? Tu manges, n'est-ce pas ?

어린이들이 햄버거 많이 **먹**죠? Les enfants mangent beaucoup de burgers, n'est-ce pas ?

보다 - **보**죠? Tu regardes, n'est-ce pas ? 영화 많이 **보**죠? Vous regardez beaucoup de films, n'est-ce pas ?

예쁘다 - **예쁘**죠? C'est joli, n'est-ce pas ? 이 인형 **예쁘**죠? Cette poupée est jolie, n'est-ce pas ?

맵다 - **맵**죠? C'est piquant, n'est-ce pas ? 이 김치가 많이 **맵**죠? Ce kimchi est très piquant, n'est-ce pas ?

Finir par : "-게 되다"

먹다 - **먹**게 되다. finir par manger 매운 김치를 **먹**게 되다. J'ai fini par manger le kimchi piquant.

보다 - **보**게 되다. finir par voir/regarder 무서운 영화를 **보**게 되다. J'ai fini par regarder un film effrayant.

Afin de : "-(으)려면"

먹다 - **먹**으려면 afin de manger 밥을 **먹**으려면 손을 씻으세요. Afin de manger, veuillez vous laver les mains.

보다 - **보**려면 afin de voir 미래를 **보**려면, 책을 읽어라. Afin de voir le futur, lisez des livres.

Valoir le coup : "-ㄹ/을 만 하다"

먹다 - **먹**을 만 하다 valoir le coup de manger 이 음식은 **먹**을 만 하다. Ce plat vaut le coup de manger.

보다 - **볼** 만 하다 valoir le coup de voir/regarder 이 영화는 **볼** 만 하다. Ce film vaut le coup de regarder.

HONORIFIQUES

En coréen, il y a différents registres de langue (familier, courant, soutenu, et honorifique que l'on ne réserve qu'aux personnes âgées ou à des êtres supérieurs), selon la hiérarchie sociale et la relation entre la personne qui parle et l'interlocuteur.

Des exemples courants de quand utiliser les honorifiques :

- Étudiant (statut plus bas) au professeur (statut plus haut) ;
- Stagiaire (rang plus bas) au CEO (rang plus haut) ;
- Petit-fils (plus jeune) au grand-père (plus âgé) ;
- Les documents publics/annonces.

Habituellement, entre les personnes du même rang/statut/âge on utilise le registre familier, du rang plus bas au rang plus haut on utilise le registre soutenu, et du plus jeune au plus âgé on utilise le registre honorifique.

En général, les honorifiques peuvent être faits en utilisant des **verbes/prédicats honorifiques** et des **noms honorifiques**.

	coréen	Courant	Soutenu	Honorifique
1	읽다 **Lire**	읽다	읽으시다	
	가다 **Aller**	가다	가시다	
2	자다 **Dormir**	자다	주무시다	
3	있다 **Être présent/disponible**	있다	있으시다	계시다
	아프다 **Être malade**	아프다	아프시다	편찮으시다
	배고프다 **Être affamé**	배고프다	배고프시다	시장하시다
4	먹다 **Manger**	먹다	드시다	잡수시다

Comme vous pouvez le voir, il y a quatre types de verbes/prédicats honorifiques.

N° 1 : en ajoutant "-(으)시다" au radical du verbe/prédicat. C'est le type le plus courant.

N° 2 : en ajoutant "-(으)시다" au radical du verbe/prédicat mais le suffixe est différent de la forme de base.

자다 -> 자시다 (x) 주무시다 (o)

*Vous pouvez voir ceci comme des types irréguliers.

N°3 : ce type suit le type n°1, avec un mot différent pour le niveau honorifique.

Par exemple :
있다 → 있으시다 (type n°1) → 계시다 (honorifique à part)
아프다 → 아프시다 (type n°1) → 편찮으시다 (honorifique à part)
배고프다 → 배고프시다 (type n°1) → 시장하시다 (honorifique à part)

N°4 : ce type suit le type n°2, avec un mot à part pour le niveau honorifique.
Par exemple : 먹다 → 드시다 (type n°2) → 잡수시다 (honorifique à part)

Maintenant que nous avons vu les verbes/prédicats honorifiques, apprenons les noms honorifiques.

	Nom	Courant	Soutenu	Honorifique
1	이름 **Nom**	이름	성함	존함
	밥 **repas**	밥	식사	진지
2	나이 **âge**	나이		연세
	생일 **anniversaire**	생일		생신

Comme les verbes/prédicats, il y a plus d'un type pour l'usage honorifique.

N°1 : type où les niveaux courant/soutenu/honorifique ont des mots séparés pour chaque.

N°2 : type où les niveaux courant et soutenu partagent le même mot mais qui a un mot à part pour le niveau honorifique.

Alors, une règle très importante est de ne jamais utiliser les honorifiques pour vous-même mais uniquement pour quelqu'un d'autre.

MP3 (74)

Voici un exemple.

Cheol-su: 선생님, 점심 드셨어요? Monsieur, avez-vous déjeuné ?
Le Professeur: 응. 점심 먹었어. 철수도 점심 먹었니? Oui, j'ai déjeuné. As-tu déjeuné aussi, Cheol-Su ?
Cheol-su: 네 선생님. 저도 점심 먹었습니다. Oui, monsieur. J'ai déjeuné aussi.

Ici, vous pouvez voir que lorsqu'il demande au professeur, Cheol-Su s'adresse en utilisant le verbe honorifique "드셨어요" (temps au passé pour "드시다 = 드시 + 었어요").

Notez que le professeur répond par "먹었어", qui est une forme familière, parce qu'utiliser "드셨어요" pour soi-même est comme se louer soi-même, ce qui sonne très bizarre (par exemple : "Oui, c'est moi, Joe le Magnifique qui a déjeuné !").

Aussi, quand le professeur demande à Cheol-Su s'il a mangé, il utilise la forme familière "먹었니?" car l'interlocuteur, Cheol-Su est plus jeune et a un statut plus bas que lui, le professeur.

Enfin, Cheol-Su répond au professeur en utilisant "먹었습니다", qui est la forme polie au passé de "먹다".

QUIZ D'ENTRAÎNEMENT

Remplissez les blancs en utilisant le mot approprié.

1. 내 친구 영희가 책을 ___________ Mon amie Young-Hee lit un livre.
   a. 읽는다. b. 읽으신다. c. 읽쓰신다. d. 읽으스신다.

2. 교수님께서 집에 ___________ Le professeur rentra chez lui.
   a. 갔다. b. 가었다. c. 가였셨다. d. 가셨다.

3. 할아버지께서 진지를 __________. Le grand-père mangea un repas.
   a. 먹으셨다. b. 드셨다. c. 잡수셨다. d. 드시셨다.

4. 공부 열심히 해라! 선생님께서 __________. Travaillez dur ! Dit le professeur.
   a. 말했었다. b. 말하셨다. c. 말씀했다. d. 말씀하셨다.

bonne réponse : 1. a. 읽는다. 2. d. 가셨다. 3. c. 잡수셨다. 4. d. 말씀하셨다.

Associez les verbes/prédicats suivants avec les formes soutenue/honorifique correctes.

Courant	**Soutenu**	**Honorifique**
보다	가시다	
자다	아프시다	
말하다	읽으시다	
읽다	배고프시다	
입다	보시다	편찮으시다
아프다	입으시다	시장하시다
배고프다	노래하시다	잡수시다
가다	드시다	
노래하다	춤추시다	
춤추다	주무시다	
먹다	말씀하시다	

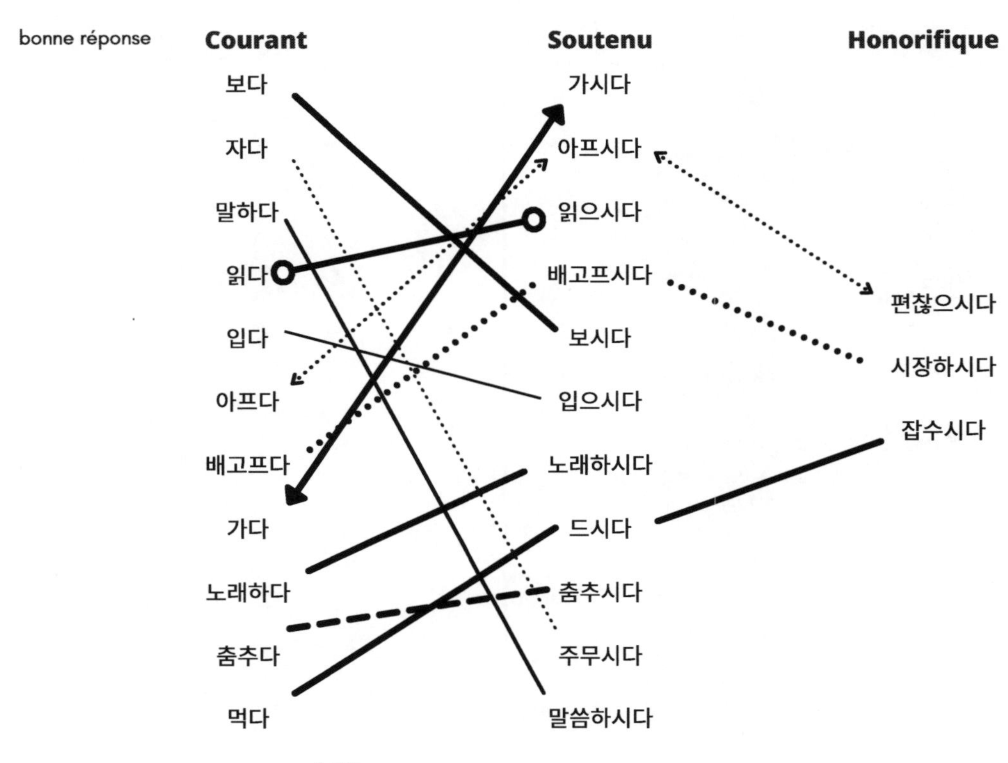

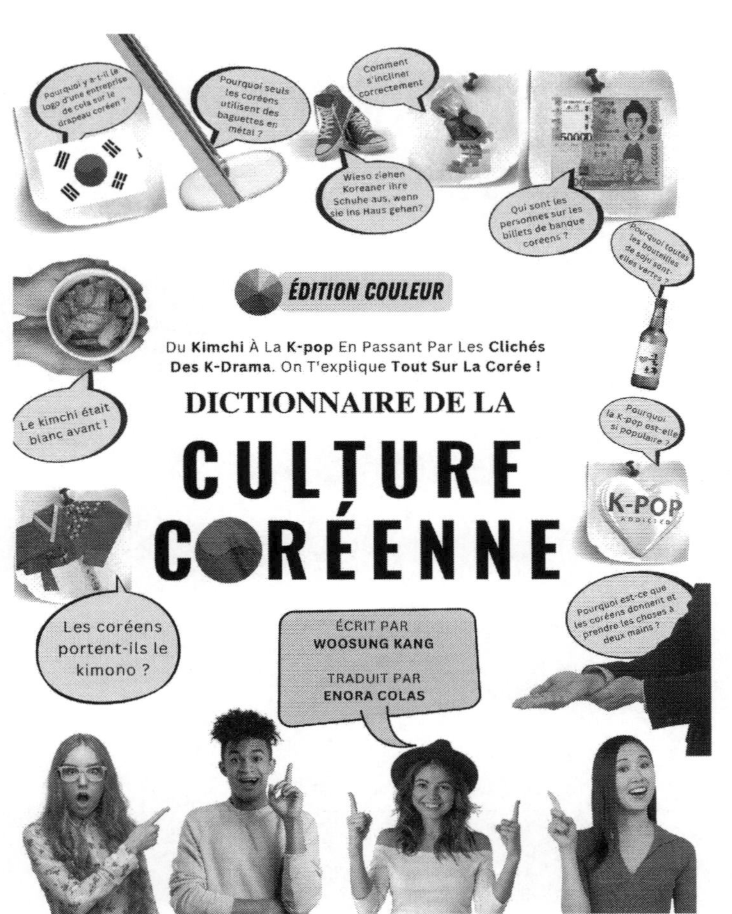

Dictionnaire De La Culture Coréenne

Du Kimchi À La K-Pop En Passant Par Les Clichés Des K-Drama. On T'explique Tout Sur La Corée !

Pourquoi les coréens enlèvent-ils leurs chaussures chez eux ?

Pourquoi le Kimchi est-il rouge ?

Pourquoi le drapeau coréen contient-il le logo de Pepsi ?

Il vous répond à toutes vos questions.

Parlons coréen:
avec des fichiers audio téléchargeables -

Apprenez rapidement et facilement plus de 1 400 expressions coréennes sur 21 sujets. Il suffit d'écouter, de répéter et d'apprendre!

Printed in Poland
by Amazon Fulfillment
Poland Sp. z o.o., Wrocław